身边的科学

[日] 小石新八 ｜ 主 编
[日] 荒贺贤二 ｜ 绘

张羽佳 ｜ 译

中国水利水电出版社
www.waterpub.com.cn

图书在版编目（ＣＩＰ）数据

身边的科学 ／（日）小石新八主编 ；张羽佳译. --
北京：中国水利水电出版社，2014.3 （2016.2重印）
ISBN 978-7-5170-1716-5

Ⅰ．①身… Ⅱ．①小… ②张… Ⅲ．①科学知识－普
及读物 Ⅳ．①Z228

中国版本图书馆CIP数据核字(2014)第018240号

书　　名：身边的科学

作　　者：〔日〕小石新八 主编　　荒贺贤二 绘

译　　者：张羽佳 译

出版发行：中国水利水电出版社（北京市海淀区玉渊潭南路1号 D 座　　100038）
　　　　　网址：www.waterpub.com.cn
　　　　　E-mail:sales@waterpub.com.cn
　　　　　电话：（010）68367658（发行部）

企　　划：北京亿卷征图文化传媒有限公司
　　　　　电话：（010）82960410、82960409
　　　　　E-mail:sales_bookexplorer@163.com

经　　售：全国各地新华书店和相关出版物销售网点

印　　刷：北京利丰雅高长城印刷有限公司

规　　格：210mmx285mm　大16开本　12印张　186千字

版　　次：2014年5月第1版　2016年2月第3次印刷

定　　价：68.00元

卷首语

美味的冰淇淋、软软的豆腐、夏天常见面的蚊香、球场上圆溜溜的足球……这些最熟悉不过的东西，都是怎么做出来的呢？

从小小的蚊香、足球，到大大的车道桥梁，都有关于原材料与制造工序的故事。这本图鉴就从大家都熟悉的身边事物入手，用可爱的插图和实际生产现场的照片，讲述各种原材料是如何变成我们都熟悉的物品的。书里边既有大家都喜欢的香甜可口的食物，也有精美实用的家用物品，了解它们的制造奥秘，不仅能满足小读者的好奇心，回答他们一个又一个的"为什么"，更能激发他们动手探索和"发明"制作，成为小小工程师和未来发明家！

我们一起来学习一下豆腐、魔芋冻等可口的食品是怎样做出来的吧！可爱的插图将教会大家它们是怎么做出来的，而漂亮的照片则带大家走进做出这些可口食品的工厂，大家可以现场看看叔叔阿姨们是怎样通过辛勤的劳动，为我们做出这些可口美食的。小朋友们，来吧！我们一起去看看！

目录

提高！ …………

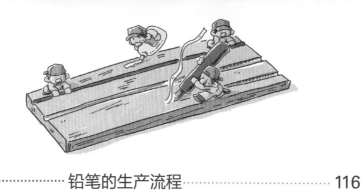

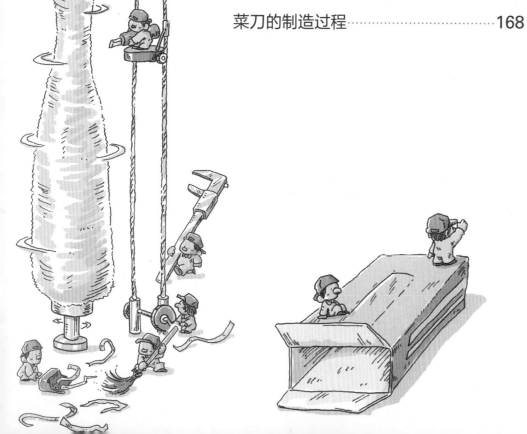

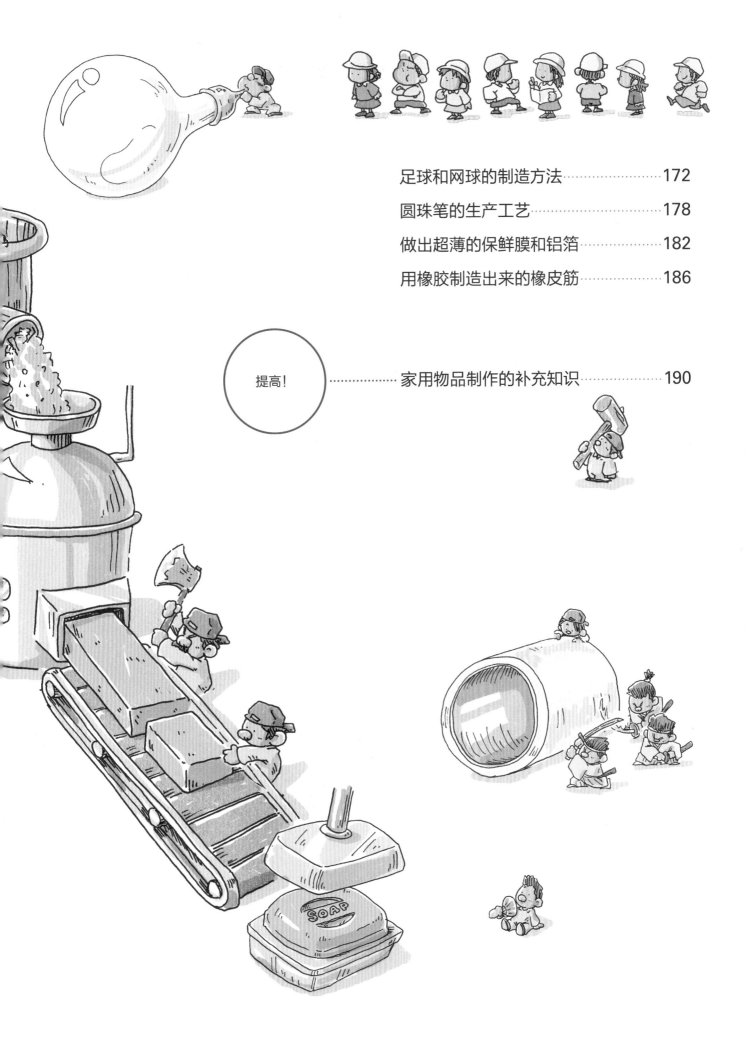

本书使用方法

本书分为食品篇和家用物品篇两大部分，书中的插图与解说是这样使用的：

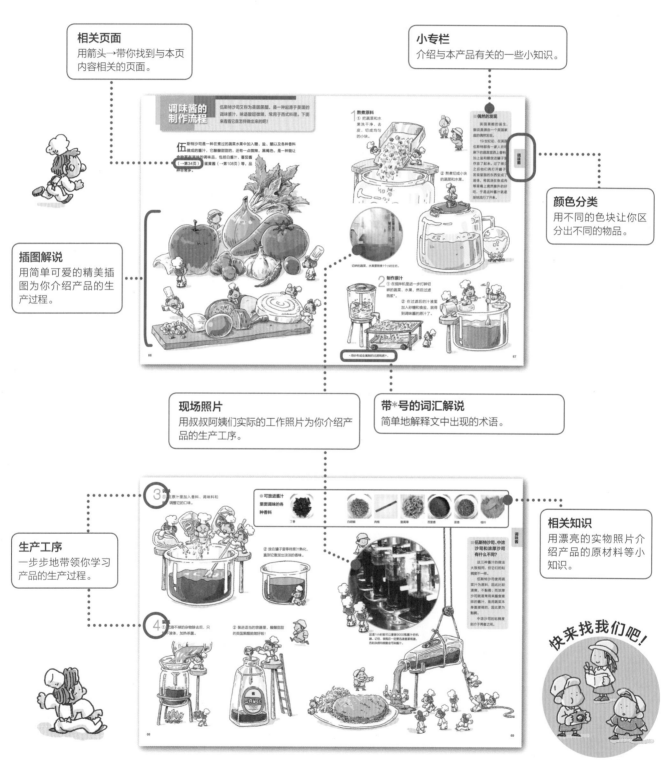

相关页面
用箭头→带你找到与本页内容相关的页面。

小专栏
介绍与本产品有关的一些小知识。

颜色分类
用不同的色块让你区分出不同的物品。

插图解说
用简单可爱的精美插图为你介绍产品的生产过程。

现场照片
用叔叔阿姨们实际的工作照片为你介绍产品的生产工序。

带*号的词汇解说
简单地解释文中出现的术语。

生产工序
一步步地带领你学习产品的生产过程。

相关知识
用漂亮的实物照片介绍产品的原材料等小知识。

快来找我们吧！
在相关栏目旁边总有这些小家伙的踪迹，请跟着他们一起走吧！

*插图只是简单的示意图，和实际的情景可能会有一点点不同哦！
　另外，同一种产品在实际生产过程中可能会有几种不同的制造方法，这里只向大家介绍最常见的一种方法。

Part 1

食品篇

炎热的夏天，冰淇淋可能是最受欢迎的食物了。舔起来凉凉的、滑滑的，一转眼，香甜的味道融化在舌尖上，真是馋人啊！你喜欢吃冰淇淋吗？

冰淇淋，又叫雪糕，是用牛奶、生奶油、糖、香料等做成的。由于冰淇淋味道宜人，凉甜可口，色泽多样，可以帮助人们降温解暑，提供水分，因此在炎热夏季里深受孩子们的喜爱。

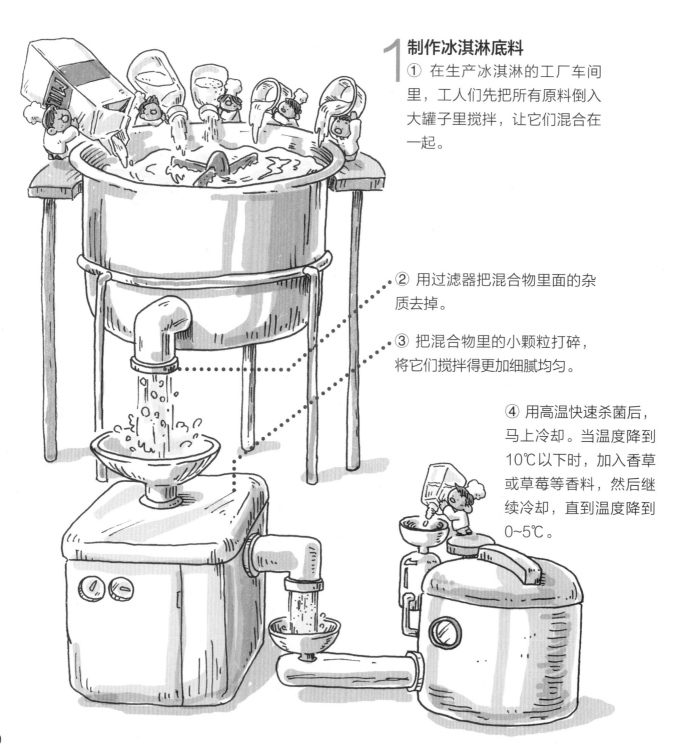

1 制作冰淇淋底料

① 在生产冰淇淋的工厂车间里，工人们先把所有原料倒入大罐子里搅拌，让它们混合在一起。

② 用过滤器把混合物里面的杂质去掉。

③ 把混合物里的小颗粒打碎，将它们搅拌得更加细腻均匀。

④ 用高温快速杀菌后，马上冷却。当温度降到10℃以下时，加入香草或草莓等香料，然后继续冷却，直到温度降到0~5℃。

2 熟化

把加工后的底料放进罐子里，让它静静地呆一段时间。这样做出来的冰淇淋才会更柔滑！

3 凝冻

打开罐子，一边搅拌一边冷却冰淇淋底料，这是为了让空气混入其中！这样会让底料变得松松软软的，像软奶油一样可爱。

■怎样让冰淇淋更柔滑？

让冰淇淋吃起来更柔滑的秘诀就是空气。因为如果在冰淇淋里有许多小气泡，就会减弱冰凉的冰淇淋对口腔的刺激，使冰淇淋口感变得更细腻。

如果在1升的冰淇淋底料中加入1升空气，就可以做出2升冰淇淋，这时的空气混合率是100%。

要记住冰淇淋中混入空气的最佳比率在60%~80%之间。混合率低的话，冰淇淋就会硬硬的，味道更浓；混合率高的话，冰淇淋就会更松软，但味道会淡一些。

能迅速地搅拌、冷却冰淇淋底料的机器——凝冻机。

4 分装

杯装冰淇淋

① 把凝冻后的冰淇淋底料装进杯状包装盒里。

■ 冰淇淋的种类

　　小朋友们常吃的雪糕、蛋筒等都属于冰类乳制品! 你知道冰淇淋都有哪些种类, 又是怎么划分的吗? 它们是按固体乳成分和乳脂成分含量的不同进行划分的!

　　冰淇淋类乳制品的种类有:

- 冰淇淋
  固体乳成分15.0%以上, 乳脂成分8.0%以上。
- 牛奶冰
  固体乳成分10.0%以上, 乳脂成分3.0%以上。
- 乳酸冰淇淋
  固体乳成分3.0%以上, 乳脂成分无固定含量要求。
- 冰制食品 (刨冰或果子露冰淇淋)
  固体乳成分不到3.0%, 乳脂成分无固定含量要求。

② 把分装好的冰淇淋底料放进零下40℃的冷冻室里, 冰淇淋就做好啦!

12 ＊固体乳成分指的是奶制品中除去水的成分 (如蛋白质、脂肪、矿物质等); 乳脂成分指的是固体乳成分中脂肪的成分。

雪糕

① 将凝冻后的冰淇淋底料倒入各种形状的模具里冷却。

② 当冰淇淋底料还没有完全冻住的时候，赶紧把木棍儿插进模具里。

③ 等冰淇淋底料完全凝固成形后，从模具里拿出来，用雪糕纸包装好，一支美味的雪糕就诞生啦！

看！美味的雪糕成批成批地制造出来了，你是不是很想痛痛快快地吃个够呢？

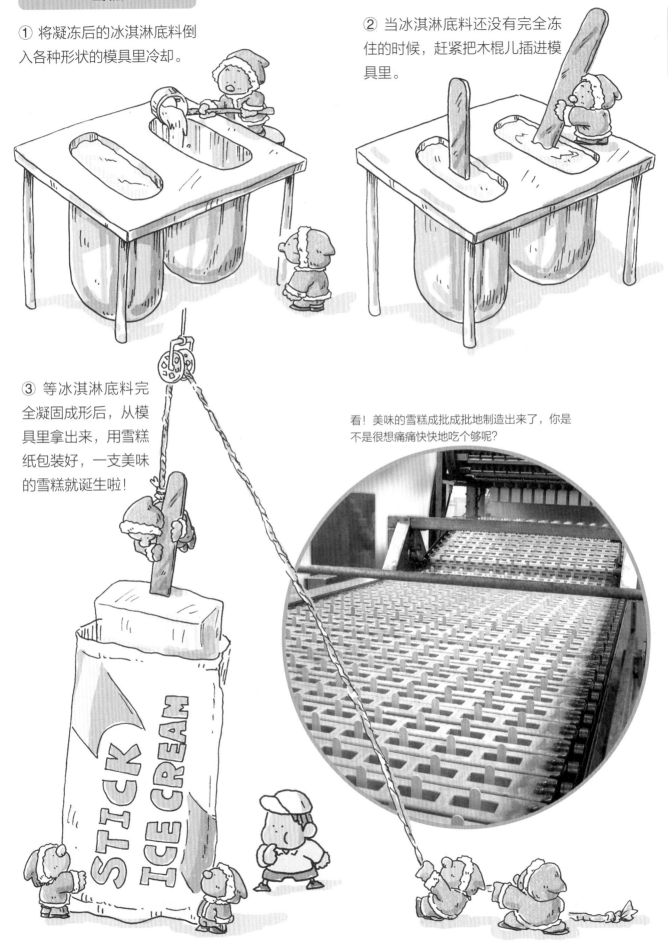

杯装方便面的生产流程

这就是我们常说的"杯面"啦，你吃过吗？它吃起来是不是很方便？你知道它是怎样做出来的吗？

在杯面发明之前，人们在吃方便面时都要先把装在袋子里的面饼放进碗里，再用开水泡开来吃，真是麻烦啊！而杯面自带杯碗，加入开水后就能让人随时随地吃上热乎乎的方便面啦！你知道吗？杯面经常被作为灾害应急援助物资哦！为什么呢？就是因为它的方便性啦！

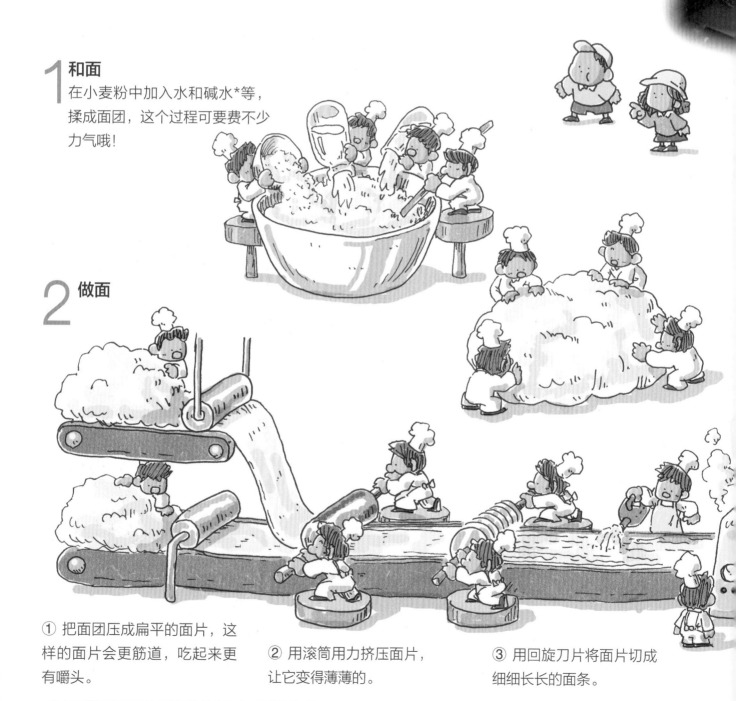

1 和面

在小麦粉中加入水和碱水*等，揉成面团，这个过程可要费不少力气哦！

2 做面

① 把面团压成扁平的面片，这样的面片会更筋道，吃起来更有嚼头。

② 用滚筒用力挤压面片，让它变得薄薄的。

③ 用回旋刀片将面片切成细细长长的面条。

*碱水是做面条时常用来增强面条特有风味和筋道的偏碱性盐类水。

14

将薄薄的面片用回旋刀片切割成细长的面条。

■方便面之父
——安藤百福

杯面是在1971年发明的，而1958年方便面就诞生了。

知道方便面和杯面是谁发明的吗？是当时日本日清食品公司的社长安藤百福。有一次安藤先生看到很多人就为了吃到一碗面，在拉面店前排起了长龙，他想，能不能制造出在家里也能简单制作和食用的拉面呢？经过了很多次失败后，他终于成功发明了方便面。再后来，安藤先生在美国看到有人把方便面放在纸杯子里用叉子叉来吃，他高兴得跳了起来，又成功发明了今天我们看到的杯面。

这是用来将面团压成扁平的、更筋道的面片的复合机。

这就是将面条切成一杯方便面的份量后分装好的设备。

④ 用高温蒸汽把面条蒸熟。

⑤ 加入各种调料让面条风味更美妙可口。

⑥ 把细细长长的面条均匀地切成合适的长度，分成一份一份的。

⑦ 把每份面条分装在金属制的篮子里。

15

3 油炸
将面条用油烹炸，去除水分。

这就是可以用油烹炸面条，使其脱水干燥的快速加热处理设备。

经过处理后，面条有了很大的变化，上层密集，下层比较松散。

将过油后的温度很高的面条放在冷却机中冷却。

4 冷却
用吹风机吹风，让面条温度降下来。

包装时杯口朝下扣在面饼上。

5 装杯

将杯子反过来扣在面饼上，再倒转过来，将面饼压进杯子内。注意啦，这时面饼是固定在杯子中间的哦！也就是说杯子下面是空的。

■ 杯子里的秘密

你是否注意过有些杯面的面饼是卡在杯子中间的呢？杯子下面是空的哦！这样倒入热水之后，面饼就能够得到充分的浸泡，更容易泡开。设计这种杯面的人想得真周到呀！

杯装方便面剖面图

6 加入辅料

① 加入汤料、辅助食材（经过冷冻干燥加工*的蔬菜等）。

一份一份地加入汤料和辅助食材。

② 封上盖子，方便可口的杯面就做好啦！

*将食品快速冷冻后真空脱水干燥的工艺。

块状咖喱的由来

充满异域风味的咖喱饭深受人们的喜爱，那么，咖喱是怎样做成的呢？你知道吗？

咖喱是从印度传入欧洲，再从欧洲传入中国和日本等地的。印度咖喱一般比较稀薄，而欧洲咖喱大多比较粘稠，不过味道都不错哦！超市里卖的咖喱中还加入了各种肉类、蔬菜和调味料，味道更是好极了！咖喱虽然辛辣、刺激，但又具有特别的香气，尝一口，辣味、香气扑鼻而来，让你吃了还想吃。

1 炒小麦粉

将小麦粉放到油锅里充分翻炒，一定要炒到颜色微黄。

2 准备原料

① 将一定分量的咖喱粉、盐、肉和蔬菜提取物粉末过筛后，用搅拌机充分混合在一起。

用来混合原料的大大的搅拌机。

② 然后加入一定分量的液体调味料，充分搅拌使其均匀混合。

● 用来做咖喱的香辛料

你知道吗？我们所说的"咖喱粉"并不是一种香料，而是多种不同香料的混合物。其中，姜黄可以让咖喱的颜色变得橙黄橙黄的，而生姜和辣椒是辣的哦，它们让咖喱也有辣味，大家要小心了。另外，五香粉、小豆蔻、丁香、香菜、小茴香等能让咖喱香喷喷的，你是不是流口水了呢？

生姜　　　　　辣椒　　　　　小豆蔻

丁香　　　　　五香粉　　　　小茴香

19

3 煮

① 把炒过的小麦粉和其他原料放进蒸汽高压锅里，以100℃的高温煮一小时左右，煮的时间还真长哦！

② 把煮好的咖喱倒入另一容器，让它慢慢冷却。

③ 为了防止咖喱粘成一团一团的，要用大网眼的筛子或离心机过滤一遍，让它成为滑溜溜的液态咖喱卤，然后分装到容器内。

用来煮原料的大型蒸汽高压锅。

自动流进容器里的滑溜溜的咖喱卤。

■ **在古代，香料是不是食物啊？**

不是的，用来做咖喱的丁香、小茴香等香料，在古埃及竟然是做木乃伊时的防腐、防臭剂，而在中国汉朝时期，丁香常被宫廷中的人含在口中以清除口臭，使口气更加清新，就是口香糖啦！

容器中的液态咖喱卤冷却并凝固。

4 冷却凝固

① 把容器中的液态咖喱卤放进冷却室，让它慢慢结块。

② 这时可不能将冷却后冰凉的咖喱块直接放进包装盒哦，因为这样会让咖喱块表面有水滴凝结。正确的做法是先把咖喱块放进烘干机里烘干后包装。

5 包装

① 把块状咖喱放进包装盒里，然后盖上薄膜。

② 将密封的块状咖喱装进纸盒里，终于大功告成喽！

罐头是怎么做出来的

你知道罐头可以在常温下保存很长时间吧？这是为什么呢？有什么秘密吗？

过去，将食物保存很长时间后再吃，这听起来就像是在说梦话一样，但现在，你是不是经常这样做？为什么？哦！原来科学家们发明了制作真空杀菌罐头食品的技术。这个发明最主要的是要将食物装进罐头里，然后将罐头中的空气排掉，再密封罐头，让它在真空状态下加热杀菌。由于罐头被紧紧地密封着，空气和细菌就无法进入罐头里面，这就让罐头能保存很长时间了！

真空杀菌罐头是怎样做成的？

① 将罐头内的空气排出来，然后紧紧地盖上盖子（密封）。

上面是一台真空封装机，它可以把罐头里的空气抽走，并将盖子密封起来！

罐头盖
双重卷封
罐子

② 为罐头加热，杀掉里面的细菌。温度一定很高哦！

③ 用冷水冷却罐头。

④ 哇！完成了！

蜜桔罐头的做法

1 准备原料
要挑选大小均匀的蜜桔，然后剥掉桔子皮。

2 分瓣
用高压水把整个蜜桔冲成一瓣一瓣的，很好玩吧？

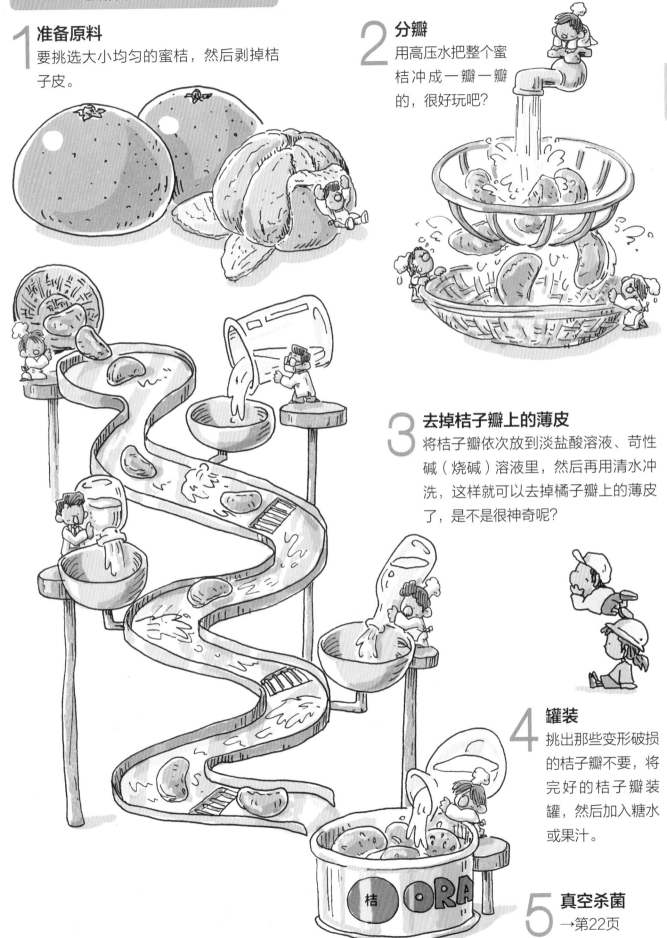

3 去掉桔子瓣上的薄皮
将桔子瓣依次放到淡盐酸溶液、苛性碱（烧碱）溶液里，然后再用清水冲洗，这样就可以去掉橘子瓣上的薄皮了，是不是很神奇呢？

4 罐装
挑出那些变形破损的桔子瓣不要，将完好的桔子瓣装罐，然后加入糖水或果汁。

5 真空杀菌
→第22页

玉米罐头的做法

1 准备原料

① 买一些新鲜玉米，剥掉它的外衣。

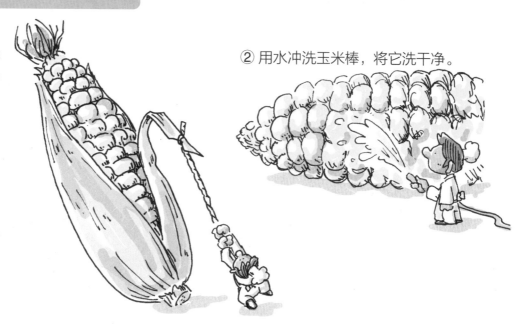

② 用水冲洗玉米棒，将它洗干净。

2 剥出玉米粒

把玉米粒一粒一粒地剥下来。

3 烹制

用85℃的热水给玉米粒洗个澡吧，使它们变得软乎乎的。

4 罐装

在罐子里加入糖、盐和水，然后加入泡软的玉米粒。

5 真空杀菌

→第22页

■ 诞生于20世纪的食品保存技术

　　20世纪研发的用密封保鲜袋装食品的保存方式比罐头的做法更方便！保鲜袋是用金属和塑料延展成的薄膜压制而成的。和罐头的做法一样，只要把食品密封在保鲜袋里然后加热杀菌就可以了。

金枪鱼罐头的做法

1 准备原料
刮除鱼鳞，去掉金枪鱼的头尾和内脏，将金枪鱼清洗干净。

2 烹制
把金枪鱼蒸熟，去掉骨头和鱼皮，然后把鱼肉捣碎。

3 罐装
把捣碎的鱼肉装进罐头盒里，然后要记得加入调味料、色拉油哦！

这个就是向罐头里加入调味料的机器。

4 真空杀菌
→第22页

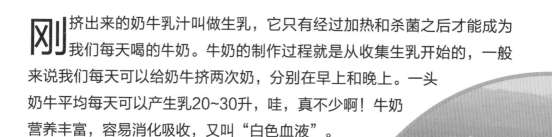

盒装牛奶生产过程

你知道我们每天喝的牛奶是用奶牛的乳汁做成的吧？但是你知道刚挤出来的奶牛乳汁与我们喝的牛奶味道是不一样的吗？

刚挤出来的奶牛乳汁叫做生乳，它只有经过加热和杀菌之后才能成为我们每天喝的牛奶。牛奶的制作过程就是从收集生乳开始的，一般来说我们每天可以给奶牛挤两次奶，分别在早上和晚上。一头奶牛平均每天可以产生乳20~30升，哇，真不少啊！牛奶营养丰富，容易消化吸收，又叫"白色血液"。

你知道吗？奶牛的主食是青草、干草、稻草、青贮饲料（青草发酵后的产物）等，而玉米、麦麸或稻壳、豆饼等是它的辅食。

1 挤奶
要在早上或晚上为奶牛挤奶！刚挤出来的生乳要马上送进冷藏库储存。

2 运送生乳
用有制冷功能的运奶车把从奶农那里收集的生乳送到牛奶加工厂。

用榨乳器可以更安全方便地为奶牛挤奶。

3 检查

在牛奶加工厂，生乳先要进行味道和甜度检查，再从运奶车倒入奶槽。

4 去除杂质

在低温环境中，使用可高速旋转的机器将生乳中肉眼看不到的小杂质去掉。

这部机器叫做离心式澄清器。它可以利用高速旋转产生的离心力将生乳中的小杂质去掉哦！

■ 牛奶的种类

牛奶大致可以分为6种：

·无成分调整牛奶

乳脂含量3%以上，非脂乳固体成分（脂肪以外的营养成分）8%以上。

·低脂牛奶

降低了生乳中的乳脂成分，控制在0.5%~5%之间。

·脱脂牛奶

基本去除了生乳中的乳脂成分，乳脂含量在 0.5% 以下。

·成分调整牛奶

通过改变生乳中乳脂或水分的含量来调整其浓淡程度的牛奶制品。

·加工牛奶

在生乳里加入黄油、奶油等的乳制品。

·牛奶饮料

在生乳中加入乳制品以外的成分，如维生素、咖啡等，做成咖啡牛奶、果奶之类。

5 研碎脂肪粒

用均化机把生乳里的脂肪粒研碎。为什么呢？因为如果不这样做，脂肪粒就会浮在生乳上面。将脂肪粒研碎后，就能防止这种分离状态，让牛奶营养更容易被吸收。

6 杀菌

用高温加热杀菌。温度一定要高，这样杀菌时间比较短，120℃下只用2秒钟哦！够快吧？另外，杀菌后还要冷却。

8 罐装

把牛奶装进奶瓶或纸盒里，美味又营养的牛奶就做好啦！

■ 奶瓶去了哪里？

喝完牛奶后奶瓶是可以回收的哦，你知道吗？

在牛奶加工厂里，回收回来的奶瓶先要检查一下，看看有没有裂缝和破损，然后再用专门的机器清洁，这样奶瓶就可以重复使用了。所以，大家喝完牛奶后奶瓶一定不要扔掉哦！

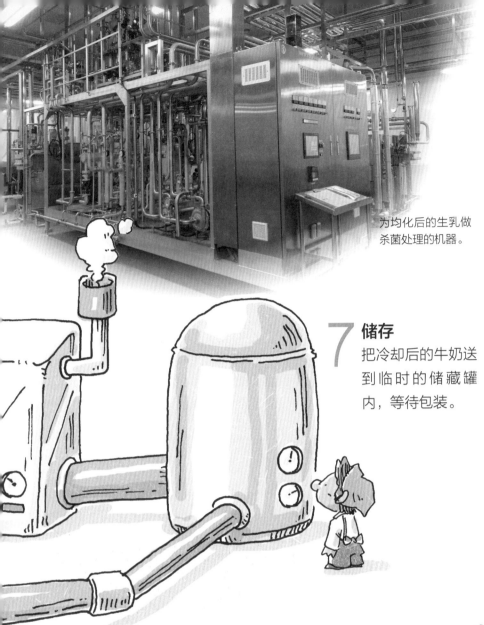

为均化后的生乳做杀菌处理的机器。

7 储存
把冷却后的牛奶送到临时的储藏罐内，等待包装。

■ 牛奶包装的演变

　　几十年前，由于技术条件的限制，牛奶的包装很简单，往往是把过滤和消毒后的牛奶直接装入玻璃瓶内，再用金属、塑料或纸质瓶盖封紧，或者装入单层塑料薄膜袋中密封。这样的牛奶保存期很短，销售期基本不超过一天，因此较多以市场零售和家庭预订的方式销售。也有商家使用大型的罐形奶车，沿着街道挨家挨户运送和销售牛奶。

　　随着时代的发展，牛奶的包装也得到了发展和进步。由玻璃瓶或单层塑料包装袋发展到用三层复合包装薄膜或纸盒包装，现在最流行的则是多层复合材料制成的包装盒，以及无菌罐装，其中就包括我们经常在超市里见到的屋形纸盒装牛奶。

多彩软糖制作秘笈

大家都吃过甜甜的、漂亮的软糖吧？你知道它最早出现在哪里吗？是德国哦！

德国人在1920年发明了软糖，据说在此之前德国食物被认为是没有嚼头的，因此他们发明了这种需要反复咀嚼的软糖来锻炼孩子们的下颌，很奇怪吧？后来，软糖受到全世界孩子们的欢迎，成为了一种广为人知的小零食。

1 制作糖浆基料

① 将食用明胶放入水中，边搅拌边加热15分钟左右，做成明胶液。

照片里是明胶溶解时的样子。

② 在明胶液里加入砂糖和淀粉糖浆，然后搅拌，做成糖浆基料。

③ 在真空状态下以100℃以上的温度熬煮糖浆基料。

■ 明胶是什么？

食用明胶是用从牛、猪等动物骨头或结缔组织中提取出来的胶原蛋白制成的胶质物，食用明胶来自组成动物身体成分的动物性蛋白质，因此对我们的身体非常有益。

明胶也可广泛地应用于胶片、印相纸、药物胶囊、粘贴剂等物品的生产中。

2 制作软糖原液

在糖浆基料里加入果汁、酸味剂、香料、色素等，然后用力搅拌，就可以得到软糖原液了。

■ 软糖的硬度

明胶的含量越多，软糖就越硬。

在欧洲，为了让软糖更有嚼头，明胶含量通常在 30%~40% 之间，而日本的软糖软一些，明胶含量为 20%~30% 的居多。

德国的软糖。

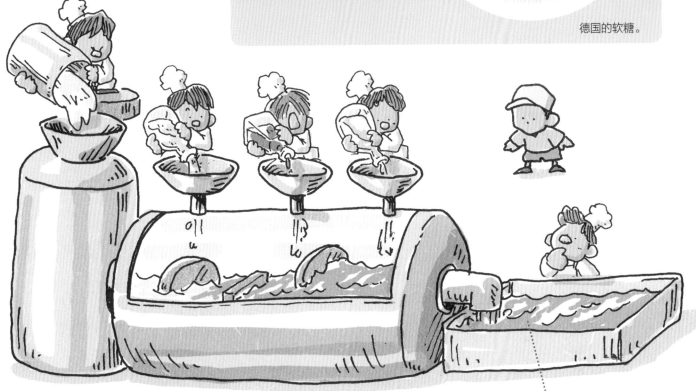

软糖原液

3 成型

① 制造模具，在平底的托盘里铺上玉米淀粉，然后将玉米淀粉摊平。

② 用模子在玉米淀粉上压出一个一个软糖形状，再将软糖原液倒进去。

③ 为了不让软糖原液很快就干了，在它的上面洒上一些玉米淀粉。

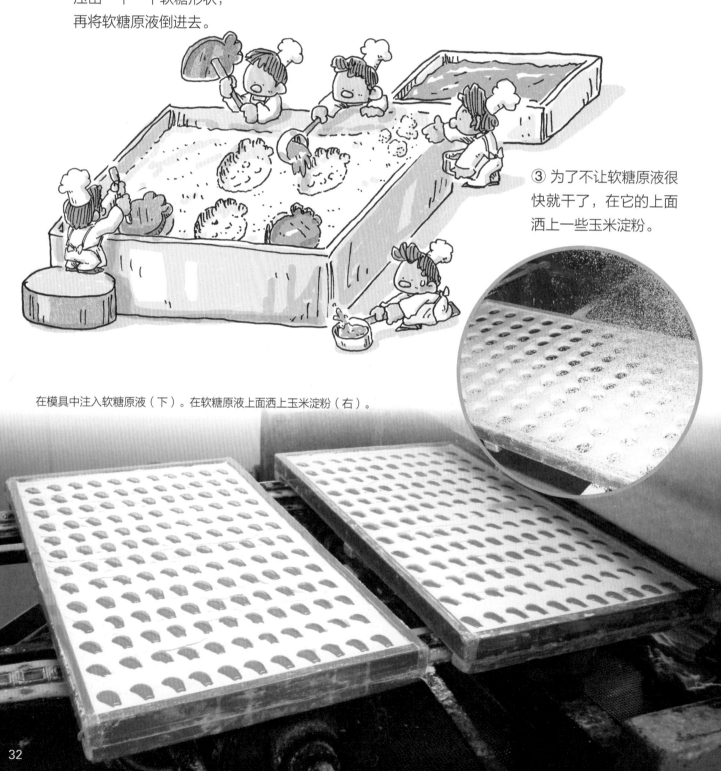

在模具中注入软糖原液（下）。在软糖原液上面洒上玉米淀粉（右）。

4 干燥

将装着软糖的托盘放置1~2天，让软糖慢慢冷却干燥。你知道吗？软糖硬度和干燥时间也是有关系的，所以一定要把握好时间！

5 得到成品

① 从模具里把甜甜的软糖倒出来。

② 为了不让软糖粘在一起，在它们表面上要抹一些油。

③ 最后，将软糖包装好，香甜的软糖就做好了！

番茄酱诞生记

你吃过番茄酱吗？它酸酸甜甜的，应该是我们最常见的调味酱了，而且制作起来也不难。可以试试在家里自己做哦！

番茄酱是把番茄煮熟，加入糖、盐、醋及各种香料，再配一些洋葱或芹菜做成的。它的味道酸甜可口，可促进我们的食欲。但是，不要吃太多哦！也不要空腹的时候吃！

1 煮熟番茄

① 把番茄洗干净，然后拣出坏了的番茄，只保留好的番茄。

② 去掉番茄的皮和蒂等不需要的部分。

③ 用粉碎机把番茄磨成甜甜的番茄汁。

④ 把番茄汁放到大锅里煮。要不停搅拌，不然的话番茄汁就会变糊了。在煮的时候加入砂糖、盐、醋及香料、洋葱等。注意不要一次把所有材料放到锅里，要分几次放入，以便随时试试口味是否合适。

2 收汁

经过4~5小时的熬煮后（在家里也可以不用那么久），番茄汁只剩下一半的量了，颜色红红的，漂亮极了。

3 装入容器

① 为了保持新鲜，要将做好的番茄酱立刻转移到无菌容器里，并且盖上盖子密封。

② 将装满番茄酱的容器放到高温热水中杀菌，然后快速冷却。最后贴上标签，美味的番茄酱就做好了。

■ 调味酱不止番茄酱一种

番茄酱是在 19 世纪后半叶，由美国食品公司开发的，一推出就大获好评，并很快被推广到全世界。

而调味酱（ketchup）的历史更加久远，据说起源于中国的传统鱼酱。东南亚各国把酱油之类也叫做ketchup；菲律宾还生产一种以香蕉为原料用色素染成红色的 ketchup，他们把它当作番茄酱使用。

这就是香蕉酱，香蕉的味道已经基本没有了。

制作番茄酱使用的番茄最好是刚采摘的红通通的番茄。和我们平常拿来生吃的番茄比起来，选用的番茄的番茄红素*含量高了3~4倍。

---

* 番茄中富含的红色色素，有抗氧化作用，对我们的身体健康很有帮助。

如何做出富有弹性的魔芋冻

你吃过魔芋冻吗？像果冻一样富有弹性而又柔滑可口的魔芋冻，竟然是用不起眼的魔芋做成的，真是让人大吃一惊啊！它到底是怎么做的呢？

你要小心了，魔芋稍微被挤压就会渗出苦涩的汁液，吃起来让人舌头发麻。因此，即使是煮过或者烧烤之后的魔芋也不能直接吃，一定要先用石灰水*去除涩味。而用魔芋做成的魔芋冻，却甜柔可口，真是奇怪啊！就让我们一起来看看这其中的奥秘吧！

魔芋的原产地是印度和斯里兰卡，在那里它也被叫做"象脚"。

1 制粉

① 用清水将魔芋洗干净，然后削皮。

②把魔芋切成薄薄的一片一片的，晾干之后磨成粉。

*过去是用水浸泡草木灰之后用上层的澄清液体来去除涩味，现在是用消石灰（氢氧化钠）或碳酸苏打水（碳酸钠）等。

2 成型

① 将50~70℃的热水一点一点地加进魔芋粉中，要一边加热水一边搅拌。

② 加入石灰水（消石灰和温水混合），然后快速搅拌成团。

③ 将搅拌好的魔芋糊倒进模具里，让它静静地呆够30~60分钟。

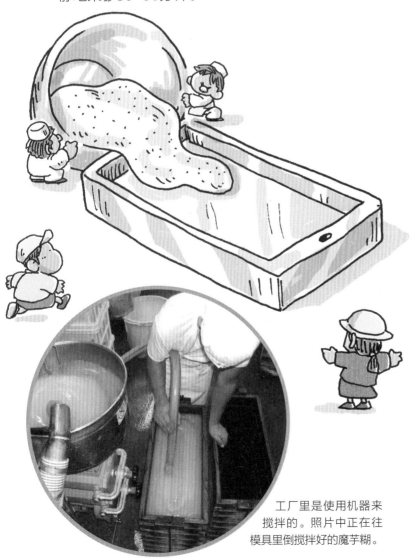

工厂里是使用机器来搅拌的。照片中正在往模具里倒搅拌好的魔芋糊。

■ 一只大魔芋的诞生

魔芋从种芋（用来做种子的魔芋球茎）发芽到收获需要 3 年时间。头年春季种下种芋，种芋在地下生长，到秋季就会长出小小的魔芋（母芋）。用这些母芋在第二年的春季播种，秋季收获的魔芋球茎被称为一年生魔芋；用一年生魔芋次年播种可收获二年生魔芋；用二年生魔芋再播种可收获三年生魔芋。

从母芋到一年生魔芋，个头大了5~10 倍，而从二年生魔芋到三年生魔芋，个头又大了 5~8 倍。三年生魔芋通常个头很大，直径可达 30cm 左右。

魔芋不耐寒，容易损伤，因此从收获到种植之间的保管很难，农民伯伯真是很有耐心哦！

从左到右分别是母芋、一年生魔芋、二年生魔芋。三年生魔芋的照片在左页。

3 彻底去除涩味

① 为了彻底去掉魔芋苦涩的味道，先把凝固后的魔芋块放在热水里泡30~60分钟。

② 然后将它放进清水里再洗半天，这样，就能得到香喷喷的魔芋了。

4 切割

将魔芋切成大小正好的一块一块的。

5 装袋

把魔芋放进装有清水的袋子里，这能让魔芋吃起来更新鲜。好嘞！可口的魔芋冻做好啰！

■ 前人的智慧

有的魔芋冻看起来颜色黑黑的，有的里面还混杂着黑色的小点点，很难看。这是因为在制作时，直接把魔芋切碎然后过水搅拌造成的。

可见，魔芋冻的做法原本是很简单的。那么为什么要费尽心思把魔芋先磨成粉呢？因为魔芋不能长期保存，磨成粉后运输和贮藏都很方便。这都是人们智慧和经验的总结哦！

●各种各样的魔芋冻

块状魔芋冻
用模具成型的方块状魔芋冻。

丸状魔芋冻
不用模具，而是直接用手捏成丸状再用热水浸泡。

魔芋冻丝
在成型之前，让魔芋糊通过细小的筛孔，形成长条状，然后用热水浸泡成型。

砂糖的生产历程

你知道砂糖是用什么做的，味道为什么是甜甜的吗？原来它是用富含糖分的甘蔗和甜菜等原料制作而成的。下面我们一起来看一看砂糖的生产历程吧！

砂糖主要是用甘蔗或甜菜做成的，它们的汁液中含有大量的蔗糖，榨出它们的汁液，然后熬煮，就可以得到制作砂糖的原料糖了。注意，这只是原料糖，其中还有不少的杂质，去掉这些杂质后得到的才是甜甜的砂糖哦！

砂糖的原料

甘蔗
含糖量丰富，广泛种植于热带及亚热带地区，包括中美、南美、亚非等地。

甜菜
又叫糖萝卜，根部含有大量糖分。适宜栽植于阴凉地域，在法国、德国、美国和俄罗斯等地广泛种植，是制糖原料。

制作原料糖的步骤

1 榨汁

① 首先去掉甘蔗叶子。甘蔗的叶子很锋利，不小心就会割到手。

② 然后把甘蔗切成一小段一小段的，这样榨起汁来会比较容易。用滚轴压碎甘蔗榨出汁液。

2 除去杂质

① 在榨出的甘蔗汁液里加入少量石灰水。石灰会带着杂质一起沉淀到底部，和汁液分离开来，是不是很神奇呢？

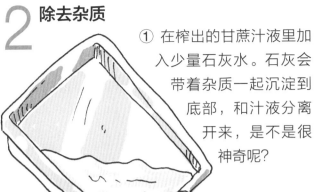

② 经过过滤后，甘蔗汁液里的杂质就被清除了。

过滤后剩下的滤渣不要丢掉，它们可以用来做燃料呢。

3 结晶

① 熬煮过滤后的甘蔗汁液，熬成浓浓的糖浆后，在低温下放一段时间让水分挥发掉，就得到甜甜的蔗糖结晶和糖蜜*了。

② 把步骤①里得到的蔗糖结晶和糖蜜放入离心分离机里，分离出蔗糖结晶。这样就获得了生产砂糖的初步原料——原料糖了。

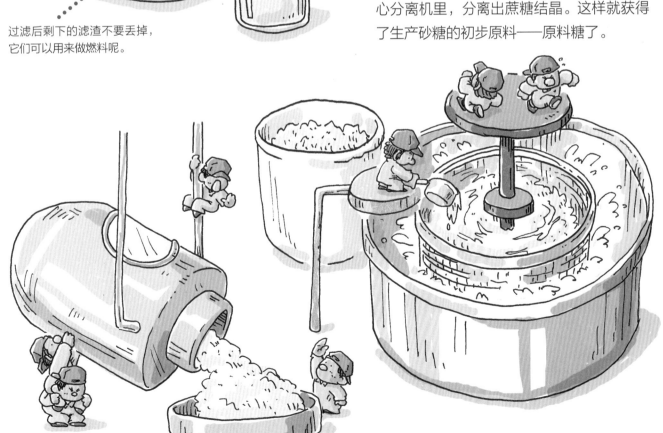

*糖蜜是蔗糖结晶后，剩余的没有结晶、仍含有较多糖分的粘液。

制造精制糖的步骤

4 去除杂质

① 在原料糖里还会混有一些糖蜜，以及一些附在结晶表面的杂质，需要把它们去除。

② 把清除了杂质的原料糖放入温水中，制成糖浆。注意，一定要是温水。

5 进一步去除杂质

① 在糖浆中加入一些石灰，并加入一些二氧化碳气体，使杂质沉淀。

② 使用活性炭*等物质，吸附剩下的细小杂质。

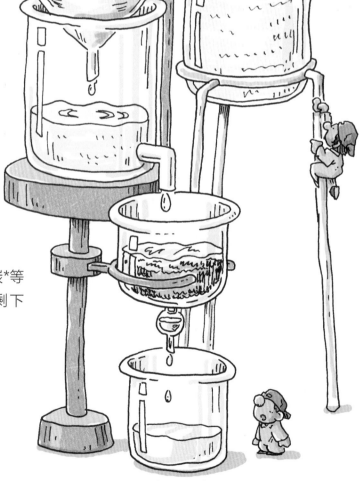

■ 4000年的历史

早在公元前 2000 年左右，印度人就已经制作并食用砂糖了。

但是，你知道吗，砂糖一开始并不是用来吃的，而是作为药物。另外，制作砂糖的方法据说也是印度人发明的呢！

③ 通过一次一次地过滤，糖浆的颜色就慢慢地从茶色变透明了，很漂亮！

*活性炭是一种吸附能力很强的炭，是把硬木、果壳、骨头等放在密闭容器中烧成炭，再增加其孔隙后制成的。

6 制造砂糖结晶

① 将透明的糖浆放到真空结晶罐里，蒸发水分，再次生成蔗糖结晶和糖蜜。

从糖浆中分离结晶时，如果用高温蒸发的方法，很容易把结晶变成糖蜜或是烤焦，因为温度太高。而真空结晶罐则是利用水在真空低温下也能很快挥发的性质来去除水分，因此更为安全稳定。

② 将步骤①里得到的蔗糖结晶和糖蜜再次放在离心分离机里，分离出砂糖结晶，将其干燥后，甜甜的、亮晶晶的砂糖就生产出来了。

● 各种各样的砂糖

你知道砂糖有多少种吗？告诉你吧，砂糖一般分为分蜜糖和含蜜糖两种。分蜜糖包括幼砂糖（细白砂糖）、白砂糖、三温糖（一种黄砂糖），它们都是高纯度砂糖，是在精制工序中将结晶和糖蜜分离之后得到的。含蜜糖则是在精制工序中没有分离结晶与糖蜜的产品，如黑砂糖，它的矿物质含量比较丰富。

7 装袋

最后把砂糖分袋包装，完成！

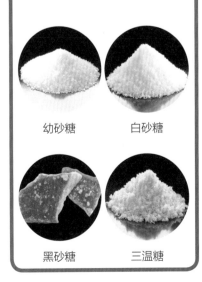

幼砂糖　　白砂糖

黑砂糖　　三温糖

盐是怎样从海水提炼出来的

想像一下，妈妈炒菜时如果忘了放盐会怎么样？厨房里不起眼的盐实际特别重要，它让我们的生活有滋有味。那盐是怎么做出来的呢？

古时候，住在海边的人们直接用海水就能晒出盐来了，很简单吧？大家有兴趣的话，到海边旅游的时候，大可试一试！那我们现在食用的盐是怎么做成的呢？是用一种叫做"离子交换膜法"的化学方法制作出来的。这种方法是先将海水蒸发为浓盐水，然后在真空式蒸发罐里熬煮，就可以得到食盐了。不过，在一些地方还在用古老的盐田[*1]水分蒸发法制作食盐哦！这种老办法能够做出含矿物质[*2]更多的盐。

离子交换膜法

1 过滤
把海水集中起来，先进行初步的过滤。

*1 将沙地分割成一块块的凹地，引入海水，自然蒸发成盐田。   *2 钙、铁等人体必需的营养元素。

2 制造浓盐水

将过滤后的海水送到离子交换膜机里，制造出浓盐水。（→参见下面的小专栏）

盐

3 蒸发水分

将浓盐水送到真空式蒸发罐里，然后再用高温熬煮。

■ 离子交换膜法的原理

你知道吗？海水中的盐是带有氯离子和钠离子的小颗粒。氯离子是阴性的，钠离子是阳性的，因此给海水通电后，同性相斥，异性相吸，钠离子会向着阴极移动，而氯离子会向着阳极移动，这样我们就可以将它们分离开来。

在水槽里用两种薄膜交互排列着隔出许多小格子：一种是只能允许氯离子通过的薄膜，一种是只允许钠离子通过的薄膜。于是，就像右图所示的那样，将海水注入水槽并通电后，有些小格子充满浓盐水，有些小格子则盐分稀薄。这样就可以从充满浓盐水的格子里提取出用来制盐的浓盐水了。

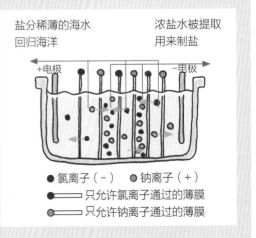

盐分稀薄的海水回归海洋　　浓盐水被提取用来制盐

+电极　　　　　　　－电极

● 氯离子（-）　　● 钠离子（+）
●━━ 只允许氯离子通过的薄膜
●━━ 只允许钠离子通过的薄膜

4 分离・干燥

① 用离心分离机去除浓盐水中的苦汁*，将它提纯。

② 加热干燥，进一步去除水分。

5 装袋

分装成袋，雪白的食盐就制作出来啦！

● 各种各样的盐

大家都知道盐有海盐和矿盐两种，可是你知道它们的区别吗？海盐就是指蒸发海水后得到的盐。而矿盐是从过去曾是海洋的地方挖出来的盐。这些地方因地质构造改变而隆起，盐分干燥堆积形成了盐层。

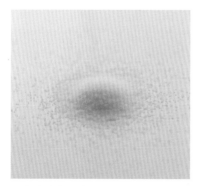

用离子交换膜法制造的食盐（海盐）。

从盐田产出的自然海盐。

喜马拉雅山里出产的矿盐。

*即盐卤，主要成分是氯化镁或氯化钾，是富含钾、铁等元素的液体，味道是苦的。

古老的制盐法

▦ 盐田法

这种方法已经被使用了数百年，下面来看看具体的制作流程吧。

① 浇上海水　沙　厚3cm　砂
② 蒸发水分　盐结晶

① 将海水一桶一桶地运送到盐田。

② 把海水浇到盐田里。

③ 把沙土垒成田畦*状，这能让水分更好地蒸发。

④ 把富含盐分（盐结晶）的沙土装入过滤箱里，再用海水冲刷沙土从而得到浓盐水。

⑤ 把浓盐水放入一口大锅中熬煮成盐结晶体，或是直接在炎炎烈日下暴晒成盐。

*田畦：指田地间的间隔，用土堆起来的挡水或分隔土地的小土墙。

47

美味果酱的生产过程

果酱的种类非常多，除了香香甜甜的草莓酱、苹果酱、橘子酱之外，风味独特的蔬菜酱你吃过吗？

你知道果酱是怎么做出来的吗？是的，是用水果加上砂糖熬煮后做成的。水果中含有的果胶与糖类和酸互相作用后会产生胶冻状的物质，这种物质进一步处理就能得到果酱了。注意，如果水果中的果胶含量或酸度不够，都要适当补充哦！要不然就得不到香香甜甜的果酱了。

挑选红通通的草莓。要记得去掉颜色暗淡、质量不好的。

草莓酱

1 清洗
摘掉草莓的蒂，用清水清洗干净，除去草莓上的杂质和泥土。

●做果酱的水果

◆果胶含量和酸度都比较均衡的水果，如柠檬、橘子、西柚、红玉等酸味风味的苹果、李子、葡萄、蓝莓等。

◆酸度较高，但果胶含量较低的水果，如草莓、杏等。

◆果胶含量较高，但酸度较低的水果，如无花果、桃、香蕉、甜味苹果。

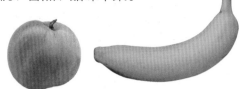

2 熬煮

把洗干净的草莓放入大锅里，分2~3次加入砂糖并充分搅拌熬煮。

用大锅熬煮红红的草莓。

3 装瓶

充分熬熟之后迅速把草莓酱装进瓶子里，并盖紧瓶盖。

＊草莓的果胶含量较少，因此常常要额外补充果胶。

4 加热杀菌和包装
① 把盖紧盖子的瓶子放在温度在90℃以上的热水里浸泡10分钟左右，加热杀菌。

经过加热杀菌后的果酱一瓶一瓶地通过传送带，你是不是食欲大开了呢？

■ 柑橘果酱

主要以橘子或夏季蜜柑等作为原料做成的果酱称为柑橘果酱（Marmalade）。据说最初在葡萄牙制作的果酱是以一种水果为原料的，谐音之后就变成了"Marmalade"了。制作这种果酱时没有去皮，因此会有一点涩涩的苦味。

■瓶装密封法的发明

为了能够长期保存，果酱装瓶之后要立刻抽出瓶子里的空气后密封，然后在真空状态下加热以达到杀菌效果（排气杀菌）。

发明这种瓶装密封法的是一个 19 世纪初的法国人，而促成这项发明的，正是那位著名的拿破仑皇帝。

当时，拿破仑正在欧洲调兵遣将，征战各地，军队需要大量的食物，食物一多，储存就不方便了。拿破仑因此悬赏开发新的食品储藏方法。一位名叫阿佩尔的厨师尝试着把食品处理好后装入广口玻璃瓶内，放在沸水锅中加热后用软木塞塞紧瓶口。他惊喜地发现这种方法可以保持食物在较长时间内不腐烂变质，于是这种瓶装密封法就一直沿用下来了。

② 在温水里冷却，得到黏稠的果酱。

③ 贴上标签，一瓶美味的果酱就做好啦！

原汁原味的果汁是怎么来的

酸甜可口的果汁分为鲜榨果汁和浓缩还原果汁两大类，你知道这两者有什么不同吗？它们分别是怎么制造出来的呢？一起来看看吧！

你知道吗？以前除了由水果榨汁而成的饮料被叫做果汁之外，由蔬菜榨汁而成的蔬菜汁也叫果汁，就连一些不含水果汁而是加入香精调味的饮料也被叫做果汁。但现在，除非是100%果汁做成的，否则都不能叫做果汁的。另外，将水果榨汁直接装瓶的，是鲜榨果汁；将水果原汁脱水浓缩，饮用时再加水还原的果汁叫做浓缩还原果汁。

1 准备原料

检查制作果汁的原料蜜柑或其他水果，挑出那些没有破皮开裂的，然后清洗干净。

给蜜柑做淋浴冲洗的自动清洁机。

能迅速榨出新鲜果汁的榨汁机。

2 榨汁

将清洗干净的蜜柑放进榨汁机中，榨出酸甜可口的果汁，并分离出果皮及残渣。

这是分离出来的果皮和残渣。大部分可作为牛的饲料，还有一部分可以用来制造香料呢。

从这里源源不断地流出了新鲜的蜜柑原汁。

鲜榨果汁

1 使用离心分离机去除残渣

上一步榨出来的蜜柑原汁里还会有少量的残渣，因此需要用离心分离机来将它们去掉。

2 制作鲜榨果汁

将果汁加热杀菌后，分装进瓶子里，新鲜可口的鲜榨果汁就做好啦！

蜜柑 JUIC

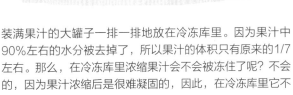

浓缩还原果汁

1 冷冻贮藏

将刚榨出的新鲜果汁脱去水分，浓缩后保存在-18℃的冷冻库里，这样能长时间保证果汁的新鲜可口哦！

装满果汁的大罐子一排一排地放在冷冻库里。因为果汁中90%左右的水分被去掉了，所以果汁的体积只有原来的1/7左右。那么，在冷冻库里浓缩果汁会不会被冻住了呢？不会的，因为果汁浓缩后是很难凝固的，因此，在冷冻库里它不会冻结，而是保持粘稠的状态。

2 浓缩果汁的还原

① 把浓缩果汁从冷冻库中取出来，加入和之前脱去的水分等量的清水，使果汁回到刚榨出时的新鲜状态，然后放入调制罐中。

② 加热杀菌，装入瓶子。

■ 为什么要进行浓缩和还原？

鲜榨果汁不是更新鲜吗？为什么还要进行果汁的浓缩和还原呢？告诉你吧！浓缩后的果汁体积变小，需要的存储空间也会变小，同时也能节约冷冻库所使用的电力，相应的，运输费用也会大大减少，这样，它的价格就会比鲜榨果汁便宜了。更重要的是，浓缩还原果汁让我们即使过了蜜柑的收获季节，也可以喝到酸酸甜甜的果汁。

酱油的酿造过程

在我们的日常生活中，对酱油一定不会感到陌生，它是烹调美食时不可或缺的调料。那酱油是如何酿造的呢？下面我们就一起来看一看吧！

你知道吗？具有独特酱香的酱油是用大豆、小麦和盐做成的，很简单吧？这些材料在曲霉菌*的作用下即可被酿造成具有独特风味和香气的酱油。酱油不但能增加和改善菜肴的味道，还能增添或改变菜肴的色泽呢！

1 大豆和小麦的加工

① 将大豆浸泡在水里，将它泡得软乎乎的，然后用高温蒸汽蒸煮。

② 炒制小麦，炒熟后香喷喷的，然后磨碎。

*真菌的一种，能把蛋白质和淀粉分解为氨基酸和糖分。除了酱油之外，还可以用来酿造酒、醋等。

2 制曲

① 将蒸煮后的大豆和磨碎的香喷喷的小麦，按大致1：1的比例混合，加入曲霉菌，制成酱曲。

② 把新制成的酱曲放在保持一定温度和湿度的特制房间3天左右，得到成熟酱曲。工人们每天都要翻搅几次，使酱曲呈颗粒状。

大豆、小麦与曲霉菌混合后制成的酱曲。

● 酱油的种类

老抽
在生抽酱油的基础上，加入焦糖色经过特殊工艺酿制成的深色酱油。

生抽
颜色较浅，盐分含量比老抽高，常在低温环境下发酵和熟成。多用于调味。

纯大豆酱油
原料以大豆为主，基本不使用小麦。酱身比较浓稠，味道也比较浓郁。

再酿制酱油
在酱曲发酵工序中，用生酱油代替盐水混合发酵的产品。颜色、口味都非常浓郁。

白酱油
主要使用小麦为原料酿制。味道偏甜，颜色清淡，是西餐中常用的调料。

3 制造酱醪

① 在成熟的酱曲中加入食盐水，制成酱醪（láo）。其中食盐水可以防止有害细菌的滋长哦！

酱醪

② 酱醪要经过半年到一年的发酵。为了让曲霉菌分泌出的酶更好地发挥作用，在酱醪发酵前期一定要每天翻动搅拌几次，千万不能偷懒！

在工厂里，酱醪是放在巨大的金属罐中慢慢发酵和成熟的。

4 压榨

① 将酱醪用纱布包起来。

② 把酱醪包一个个叠压起来，在自身重量的作用下新鲜的酱油就会从底部渗出来了。再施加压力，慢慢地榨出更多的香香的酱油。

在工厂里是用压榨机来压出酱油的。

5 装瓶

将榨出的酱油装进瓶子里，浓香的酱油就可以出厂了。

■ 酱油家族

你知道吗？酱油是中国人发明的，后来才被传到东南亚及世界各地，被广泛使用于食品的加工和烹调中。酱油种类很多，除了我们前面介绍的那些，还有一些比较独特的以鱼虾为原料做成的酱油，如泰国、越南的鱼露，日本乡村的特产秋田盐汁等。

※ 工厂在酿造酱油时，在装瓶之前还要经过加热、杀菌等程序。没有经过加热的鲜榨酱油叫做生酱油。

你可能不知道吧？大多数植物的种子或果实里都含有油。不过，并不是所有的植物都能用来制作食用油，只有玉米、油菜、大豆等比较合适，因为有些植物的油含量并不高。那从这些植物中提取油的方法有哪些呢？告诉你吧！大致上分为压榨法和浸出法两种。

工厂里使用的压榨机。

1 提取油分

对于油分含量高的原料可使用压榨法，而对于油分含量少的原料则适宜用浸出法。

什么是压榨法？

压榨法是用油分含量高的原料（如油菜籽）榨油时常用的方法。

① 先用高温焙炒原料，这可以使油分的榨取更容易。

② 用力压加热后的原料，将油挤出来。

什么是浸出法?

浸出法是用油分含量低的原料（如大豆等）榨油时常用的方法。

① 把原料研碎、铺开、压平并加热，然后泡进一种专用的有机溶剂*里。

连续抽取油分的抽取机。

② 用抽取机将油提取出来。

*能有效地提高大豆等原料出油率的有机溶剂，这种溶剂必须是食品级的。

2 除去多余杂质

① 把步骤1中提取的油放到离心分离机里，去除多余的杂质。

② 放入过滤器中过滤出干净的油。

3 脱色

加入活性白土[*1]吸附油中的色素，使油的颜色更加透明，更加漂亮。

脱色之前的油 → 脱色之后的油

4 除去浑浊部分

在低温环境下除去析出的蜡分[*2]和固体脂肪成分，使得原本浑浊不清的油变得透亮起来。

用来给油除去蜡分的机器。

■ 废油可以作为燃料

食用油生产过程中剩下来的废油千万不要丢掉啊！它还有其他作用呢！可以用来制造生物柴油、饲料、肥皂等。生物柴油是一种植物油燃料，可用于装备有柴油发动机的机器，节约了汽油等不可再生资源。

*1 是用粘土经一系列处理工艺后制成的吸附剂，可以给油脂脱色或去除杂质。　　*2 动植物油脂中含有的一种物质，加热后易溶易燃。

5 进一步清洁

把油放进脱臭塔，在高温真空环境下用水蒸汽进一步清洁油质，将前面没能清除的异味杂质去掉。

6 装瓶

① 把油送到充满氮气的油罐中安全储藏。

② 经过之前复杂的处理之后，最后将油分装到瓶子中，一瓶瓶透亮的食用油就可以上市了。

●各种各样的食用油

芝麻油
原料：芝麻籽（油分含量45%~55%）

米糠油
原料：米糠（油分含量12%~21%）

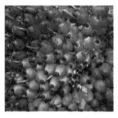

棕榈油
原料：油棕仁（油分含量45%~50%）

大豆油
原料：大豆（油分含量16%~22%）

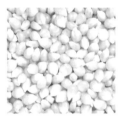

玉米油
原料：玉米胚芽（油分含量40%~55%）

葵花籽油
原料：向日葵花籽（油分含量28%~47%）

菜籽油
原料：油菜籽（油分含量38%~45%）

红花油
原料：红花籽（油分含量25%~40%）

橄榄油
原料：橄榄果实（油分含量40%~60%）

棉籽油
原料：棉花籽（油分含量15%~25%）

醋的酿造过程

醋和酒有什么关系呢？你知道吗？醋是用酒做的，是不是很吃惊？那么，酒又是怎样变成醋的呢？

醋是由古代酿酒大师杜康的儿子黑塔发明的，黑塔学会酿酒技术后，觉得酒糟扔掉很可惜，不经意就酿成了"醋"。而现在，酒经过发酵*1就成了醋。在酒的发酵过程中可以利用空气中漂浮着的醋酸菌*2等微生物，也可以采用加入醋醪的方式。

1 制酒

① 在蒸好的香喷喷的米饭中加入曲霉（→第56页），做成酒曲，酒曲的作用是把米中所含的淀粉转化为糖分。

② 然后在酒曲中加入水，在酵母菌*3的作用下糖分转化为酒精（酒）。

2 制醋

① 在做好的酒精中加入醋醪，然后为它加热。

② 将酒精放置在保持30℃~35℃的发酵室中静静地呆大约一个月时间。在醋酸菌的作用下，酒精转化为醋酸，酒也就慢慢变成醋了。是不是很神奇？

*1 微生物分解有机化合物，产生酒精、有机酸、二氧化碳等物质的过程。

*2 促进醋酸发酵的细菌。　*3 促进酒精发酵的细菌。

3 熟成

经过发酵的醋还要再静静地呆一个月左右，让它进一步熟成。这样才能让醋散发出其特有的柔和、醇厚的醋香。

为了让醋有统一的味道，要让它在巨大的罐子里慢慢熟成。

4 装瓶

过滤去除醋上层的杂质，用70℃左右的温度杀菌，停止发酵过程，最后装瓶出厂。

经过杀菌后，用玻璃瓶来装醋。

■ 世界上各种各样的醋

大家都知道，我国著名的醋有山西老陈醋、镇江香醋、保宁醋及红曲米醋。但你知道韩国的麦醋、英国的麦芽醋吗？你知道葡萄醋、苹果醋、蜜醋，以及以牛奶乳清（→第70页）为原料的乳清醋吗？醋的种类可是很多的哦！

伍斯特沙司又称为英国黑醋，是一种起源于英国的调味酱汁，味道酸甜微辣，常用于西式料理。下面来看看它是怎样做出来的吧！

伍斯特沙司是一种在煮过的蔬菜水果中加入糖、盐、醋以及各种香料做成的酱汁，它酸酸甜甜的，还有一点微辣，黑褐色，是一种能让食物更有滋味的调味品，包括白酱汁、蕃茄酱（→第34页）、蛋黄酱（→第108页）等，品种非常多。

1 熬煮原料

① 把蔬菜和水果洗干净，去皮，切成均匀的小块。

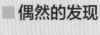

② 熬煮切成小块的蔬菜和水果。

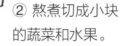

切碎的蔬菜、水果要熬煮1个小时左右。

调味酱

2 制作原汁

① 在搅拌机里进一步打碎切碎的蔬菜、水果，然后过滤筛浆*。

② 在过滤后的汁液里加入砂糖和食盐，就得到调味酱的原汁了。

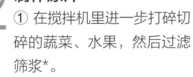

*用纱布或金属制的过滤网滤汁。

67

3 调味

① 在原汁里加入香料、调味料和醋，调整它的口味。

● **可放进酱汁里面调味的各种香料**

丁香

② 放在罐子里等待原汁熟化，直到它散发出淡淡的香味。

4 装瓶

① 把溶不掉的杂物除去后，只留下液体，加热杀菌。

② 装进适当的容器里，酸酸甜甜的英国黑醋就做好啦！

白胡椒

肉桂

鼠尾草

百里香

茴香

桂叶

这是1小时就可以灌装9000瓶酱汁的机器。装瓶后工人们要迅速盖紧瓶盖，否则杂质和细菌会污染酱汁。

■ 伍斯特沙司、中浓沙司和浓厚沙司有什么不同？

这三种酱汁的做法大致相同，但它们的粘稠度不一样。

伍斯特沙司使用蔬菜汁为原料，因此比较清爽，不黏稠；而浓厚沙司就是常用来蘸食猪排的酱汁，是用蔬菜本身直接做的，因此更为黏稠。

中浓沙司的粘稠度则介于两者之间。

奶酪是如何加工而成的

你不知道吧？奶酪就是浓缩的牛奶，每公斤奶酪一般都是由10公斤的牛奶浓缩而成的，它是纯天然的食品哦。

全世界生产的奶酪据说有1000多种，它们有不同的形状、口感和味道。但根据制作方法的不同，可以分为天然奶酪和加工奶酪两种。其中天然奶酪又有许多不同的种类；而加工奶酪则是一种或几种天然奶酪混合加工而成的，比天然奶酪更容易保存。

制作天然奶酪的一般流程

1 制作奶酪基底

① 在低温杀菌后的牛奶里加入乳酸菌，使牛奶发酵。

② 加入能让牛奶凝固的酶（凝乳酶）。过一会儿，牛奶就会变成洁白滑软的白色奶块了，这些奶块就是凝乳。

加入凝乳酶后牛奶结块。

2 切割凝乳

用奶酪切割机把凝乳切成小块。切碎的凝乳块之间会渗出水分（即乳清）。

用切割机把凝乳切碎。不过切碎后的凝乳块中水分仍然很多，比豆腐还要软滑。

切碎后的凝乳块互相挤压，白白的乳清就渗出来了。

3 排除水分

把凝乳块放进有小孔的圆筒里，或是用纱布包裹后挤压，去掉凝乳中的水分。

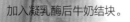

软质天然奶酪的制作方法（卡门贝尔奶酪）

4 加压
用力压圆筒中的凝乳，进一步去掉水分。

5 加入盐分
将圆筒中的凝乳放置2天，使水分蒸发，凝乳的重量减轻了。然后把凝乳结成的奶酪块倒出来，涂上盐水。

6 第一次发酵
① 在干燥后的奶酪块表面洒上白曲霉。

② 将奶酪移到熟成室里，第一次发酵。这时整块奶酪的表面都将会覆满白霉。继续发酵，期间要不时地给奶酪翻身。

7 第二次发酵
用通气性好的纸把奶酪包好，进行第二次发酵。经过数周的熟成后，冷藏起来，美味的软质天然奶酪就新鲜出炉了。

硬质奶酪的制作方法
见第72页

奶酪

硬质天然奶酪的制作方法

4 加压
用力压圆筒中的凝乳，进一步去掉水分。

5 加入盐分
直接将盐洒在奶酪上或者把奶酪泡在盐水里。

6 发酵·熟成
把奶酪块包起来，放在温度和湿度都合适的温暖环境中发酵、熟成。根据奶酪种类的不同，需要1个月到6个月不等的时间，有的甚至需要1年以上才能成功。所以，要有耐心哦！

静静地放着，让奶酪发酵熟成。

● 几种有代表性的天然奶酪

软质奶酪				硬质奶酪	

| 白干酪 | 卡门贝尔奶酪 | 意大利白干酪 | 奶油奶酪 | 豪达奶酪 | 大孔奶酪 |

1 粉碎

首先把几种硬质天然奶酪粉碎后混合在一起。

2 高温融化

把粉碎后的奶酪放在乳化剂（促进黏度的活化剂）里，高温融化。

3 凝固

趁热把奶酪倒进模具里，冷却使其凝固。就这样，美味的加工奶酪就完成了。

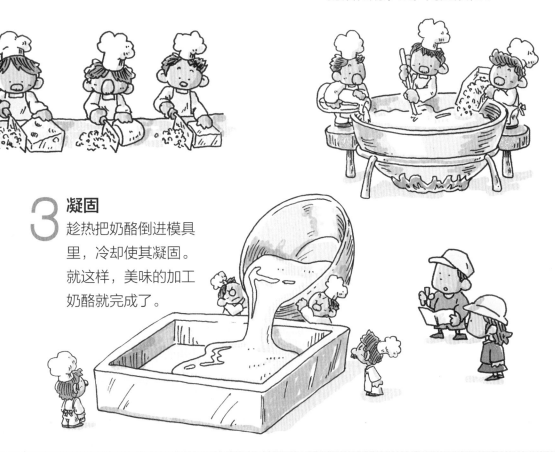

奶酪

■ 手撕奶酪是怎么做出来的？

　　你吃过手撕奶酪吗？它也叫纤维奶酪，可以撕成像丝一样的细长条。它的制作方法前半部分和天然奶酪一样，先给去掉水分的凝乳（→第70页）加入热水，揉成年糕状的奶酪团；然后将这些奶酪团反复抻压、折叠数次，形成一层一层的奶酪条；最后加入盐调味，手撕奶酪就做好了。

口香糖是怎样制作的

口香糖又叫泡泡糖，是一种供人们放入口中嚼咬的糖，甜甜的，韧韧的，既可吃又可玩，深受儿童和青少年喜爱。

　　口香糖可是世界上最古老的糖果之一。早在有历史记载以前，我们的祖先就爱咀嚼天然树脂从中取乐，这就是最原始的"口香糖"。很意外吧？你知道口香糖除了好吃之外，还有什么作用吗？告诉你，咀嚼口香糖不但有利于清新我们的口气，还有利于防止蛀牙、改善记忆力呢！现在，你是不是立刻想嚼口香糖了呢？让我们一起来看看口香糖是怎么做出来的吧。

1 制作胶基

① 把糖胶树胶等天然树脂（参见下图）放到锅里加热。

② 在熔化的树脂里加入其他原料，做成胶基。

● 天然糖胶树胶是这样得来的

在人心果树的树干上刮出痕迹。

将渗出的树脂收集起来。

熬煮树脂，然后凝结成块，运到工厂。

2 制造口香糖胶身

在胶基中加入砂糖和香料后用力搅拌，
让胶基变得软软的，然后凝固。

在胶基中加入砂糖和香料等。

3 塑型

① 将柔软的口香糖胶身压成长
长的板状。

用力压口香糖胶身，让它变成长长的板状。

② 用滚筒辗压胶身让它变得更薄，再切成
一块一块的，大小要均等。

4 冷却

让胶身在冷却室里呆一晚上，慢慢冷却。这样口香糖就能完全凝固了。

5 裁切

将板状的口香糖切成一样大的条状。

■ 口香糖的传入

现代口香糖是美国人发明的。19 世纪中期墨西哥战争期间，一个美国人发现墨西哥原住民喜欢咀嚼一种树胶，他很好奇，就把这种树胶带到美国并加入甜味剂，这就是最早期的口香糖。而口香糖传入我国的历史并不长，大约上世纪 40 年代才有中国人开始知道口香糖，这之后很长一段时间口香糖并没有受到人们的注意，后来才慢慢受到大家的喜爱。

6 包装

把一片片条状口香糖用铝箔和薄纸包起来，香甜的口香糖就做好了。

把口香糖压成薄薄的板状，并切成小块的机器。

■ 口香糖的作用

人们认为嚼口香糖有下面这些好处：

。活跃我们的大脑，提高我们的思考能力和记忆力。

。可以减少我们的食量，有利于减肥。

。反复咀嚼口香糖，可以让唾液的分泌变得更旺盛，有助于消化食物。

香浓巧克力的秘密

你知道吗？香浓巧克力的原料是可可豆，但坚硬的可可豆是怎么变成入口即化的美味巧克力的呢？

巧克力吃起来香甜可口，让人无法相信它是用可可豆做成的。但是你知道吗？一开始巧克力可没有这么好吃。第一代巧克力叫"巧克力特"，虽然味道也不错，但不够甜，口感也不好；第二代巧克力是"牛奶巧克力"，其中加入了牛奶和奶酪，香甜却不可口；第三代巧克力就是我们现在吃的巧克力了，它去掉了可可豆中的油脂，吃起来香浓爽滑，好吃极了！

1 烘焙可可豆

① 把可可豆中的坏豆子和杂质去掉。

橄榄球形的可可果实，长10~32cm，宽5~15cm。粘乎乎的白色果肉里包着20~40颗茶色的可可豆。

② 去掉可可豆的皮，把里面的豆芯取出来。

③ 用100℃的高温炒豆芯，一定要炒熟。

2 磨碎

把可可豆芯磨成糊状，这就是可可浆。

3 混合

在可可浆里加入可可脂、奶粉、砂糖等，混合后进一步研磨，使它变得柔滑柔滑的。

把可可浆倒入研磨机里，使它口感更好。

■ 可可粉是巧克力的兄弟

可可豆中含有 40%~50% 的脂肪成分（即可可脂）。把豆芯磨碎后会变成糊状可可浆，就是因为这些脂肪成分在起作用。把糊状可可浆中的脂肪成分去掉后，就得到了可可结晶，可可结晶磨成粉末后就得到可以冲泡的可可粉了。

4 精炼

对柔滑的可可浆进行长达24小时的精炼，让巧克力具有独特的香气和味道。

用来精炼巧克力的机器——精压机。

5 搅拌混合

调节到合适的温度，然后用力搅拌，让巧克力浆透亮有光泽，而且稠度要一样。

6 定型

① 把粘稠的巧克力浆倒进模具里。

② 让巧克力浆在模具里慢慢冷却凝固，要有耐心哦！

③ 把成型的巧克力从模具里倒出来。

④ 包装，香浓美味的巧克力就做好了。

■ 巧克力曾经是饮品

13 世纪到 16 世纪，在现在的墨西哥一带，人们把可可豆磨成糊状，然后加入香草和香料做成饮料喝。这种饮料带着苦味，含有大量脂肪，口感也比较粗糙，算不上什么好喝的东西，但在当时却是一种贵重的饮料，只有身份很高贵的人才能喝到呢！

软软豆腐的由来

想起白白嫩嫩的豆腐，你是不是流口水了呢？不同种类的豆腐，它们的软硬度和柔滑度都有很大的不同，其中的秘密是什么？

豆腐是用大豆磨出的豆汁经过"点卤"*后凝固形成的一种绿色健康食品，至今已有2100多年的历史，深受大家的喜爱。发展至今，豆腐品种齐全，花样繁多，既有超市里常见的北豆腐（又叫卤豆腐、老豆腐）、南豆腐，也有不那么常见的，比如充分去除水分后比较硬的木棉豆腐，保持原有水分直接凝固而成的滑嫩的绢豆腐，在凝固开始时就用勺子捞起来直接食用的即席豆腐。下面我们来看看木棉豆腐的做法吧。

1 制作豆腐的原料（豆浆）

① 把大豆仔细洗干净。

③ 把变大的大豆放进机器里，加入清水磨碎。

② 将大豆用水泡一晚上，让大豆变软。这时大豆会变大，为什么呢？因为大豆吸收了水分。

---

* 卤水一般是用盐卤或石膏做成的，它含有能使分散的蛋白质颗粒聚集的矿物质，将豆浆凝固成豆腐块。天然卤水比较难以获得，因此现在常用含有氯化镁之类的凝固剂来点卤。

④ 把磨碎的大豆用高压锅煮10分钟左右，就能煮熟。

■ 豆腐的好伙伴——豆腐皮

豆浆凝固成豆腐块后，表面会形成一层膜，这层膜就是我们常吃的豆腐皮，是做豆腐衍生出来的食品。另外，豆腐还可以加工成油豆腐、烧豆腐等等（→第112页）。你流口水了吗？

豆腐

⑤ 用煮熟的大豆榨出豆浆，并分离出豆渣。

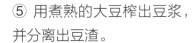

豆浆

豆渣

2 凝固

木棉豆腐

① 把卤水放入豆浆里。

② 把点卤后的豆浆倒入模具箱里，记住，模具箱底部要有小孔，箱里还要铺上细棉布。

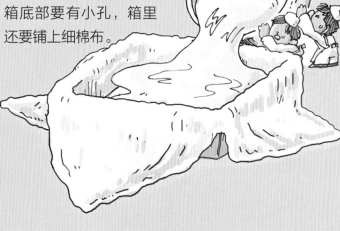

③ 在点过卤的豆浆的上面也盖上细棉布并挤压，使豆浆凝固。豆浆里的水分会从小孔中挤出来，形成结实、有棱有角的豆腐块。

绢豆腐

① 把新鲜的豆浆倒入模具箱里。

② 加入卤水凝固，柔软滑嫩的绢豆腐就做好了。因为有大量的水留在豆腐块里，所以绢豆腐嫩滑可口。

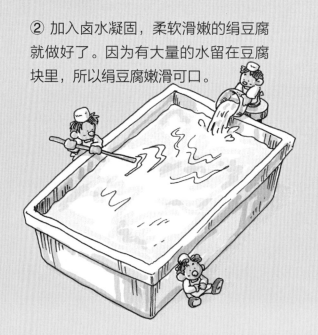

3 豆腐一碰就会碎，因此要在水里切割它，将它切成大小适合的豆腐块。

4 将豆腐块放进包装盒里，白白嫩嫩的豆腐就可以上架了。为了保持豆腐的新鲜，记得将它冷藏保存哦！

■ 木棉豆腐和绢豆腐

　　木棉豆腐是用木棉布充分滤去水分的豆腐，而绢豆腐保留了水分，因此和表面布满细纹的木棉豆腐相比，绢豆腐的表面就像丝绢一样光滑，而且嫩嫩的。

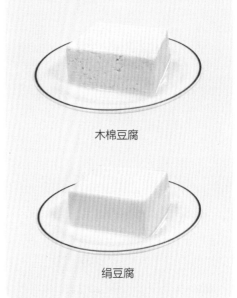

木棉豆腐

绢豆腐

■ 豆腐是用腐坏的豆子做的?

　　在汉字里"腐"有"腐坏"的意思，但也指柔韧软滑的物质，因此豆腐可不是用腐坏的豆子做的，而是用泡软的豆子做出来的食品。

纳豆的制作方法

搅拌搅拌纳豆就能拉出粘乎乎的细丝，很有趣哦！纳豆的美味秘诀正在这些粘乎乎的细丝上，很奇特吧？

纳豆是用大豆做的。过去，在扎成束的麦秆里塞满大豆，经过麦秆中纳豆菌的物质产生发酵作用，即可做出纳豆。在一捆麦秆里纳豆菌的数量在1000万个左右，是不是挺吓人的啊？现在，纳豆的制作方法仍旧没有大的改变。

麦秆束 ·····················

1 清洗和浸泡
挑拣出颗粒均匀的大豆，用清水洗干净后泡一晚上。

2 蒸煮
去掉大豆上的水，放在锅里蒸煮。

用来蒸大豆的大锅。

3 加入纳豆菌

把纳豆菌和水混合在一起，淋在蒸好的热气腾腾的大豆上，用力搅拌。

水壶里是放入了纳豆菌的水。

■ 粘乎乎的东西到底是什么？

纳豆菌会将大豆里的蛋白质分解，产生聚谷氨酸。聚谷氨酸正是纳豆黏丝产生的原因。聚谷氨酸是由谷氨酸组成的，而谷氨酸是一种在海带、香菇里也含有的鲜味物质。你知道纳豆鲜美的味道来源于哪里了吧？

搅拌后，纳豆中混入了空气，产生了白色的细黏丝。

4 发酵

① 把加入了纳豆菌的大豆放进盒子里，上面盖好薄膜，密封好。

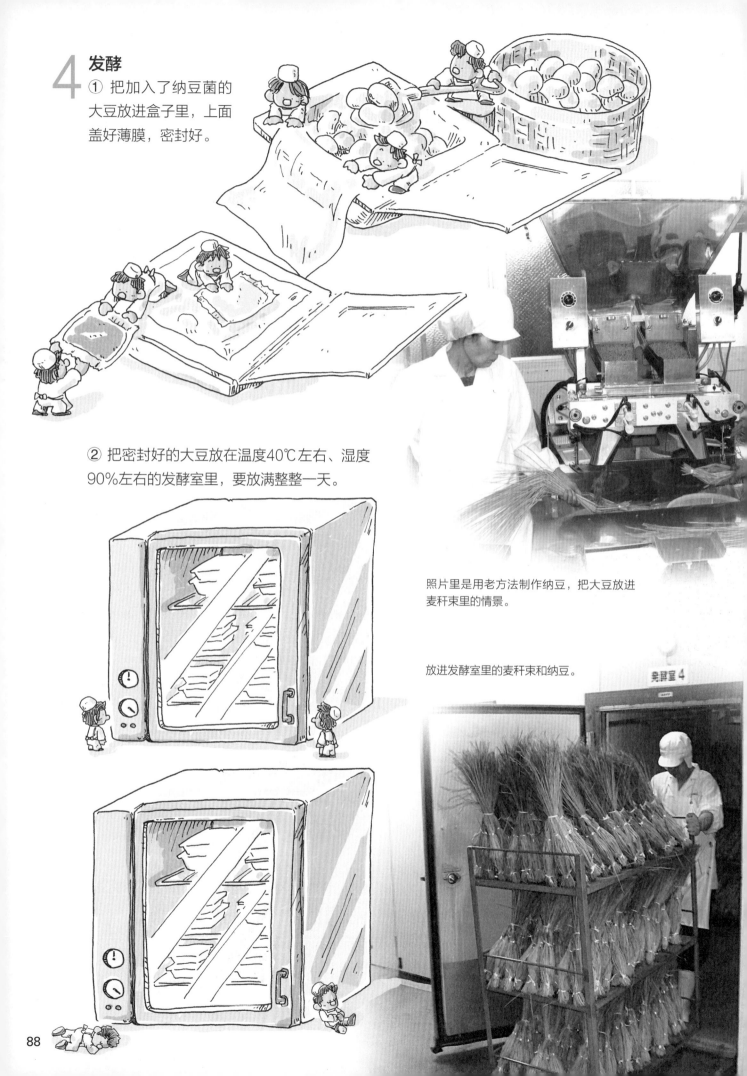

② 把密封好的大豆放在温度40℃左右、湿度90%左右的发酵室里，要放满整整一天。

照片里是用老方法制作纳豆，把大豆放进麦秆束里的情景。

放进发酵室里的麦秆束和纳豆。

5 冷却

发酵一段时间后，恢复常温，然后为了不让纳豆发酵过头，冷却到5℃左右。

6 包装

仔细包装，味道奇特的纳豆就做好了！

● **各种名为纳豆的日式风味食品**

风干纳豆（日本茨城县）
在纳豆中加入盐、调味料之后，干燥即可。可以直接吃，也可以用于泡茶。

滨纳豆（日本静冈县）
不是用纳豆菌，而是用曲霉制作出来的纳豆。有咸味，但是不能拉出黏丝。

甜纳豆（日本东京）
虽然名字叫"纳豆"，但跟纳豆完全是两回事。只是用豆类或栗子等加上糖做成的甜味小零食。

各式各样的鱼肉酱

大家都知道鲜美无比的鱼肉酱是把鱼肉磨碎后做成的，可是你知道吗？通过不同的加热方法，可以做出各种各样的鱼肉酱呢！

是不是所有的鱼都可以用来做鱼肉酱呢？不是的，一定要选择刺少的鱼，如海鳗、黄花鱼、飞鳐、鲹鱼、沙丁鱼等，制作冷冻鱼肉酱时也常用到鳕鱼。将鱼肉磨碎，磨得像泥一样，然后加上盐和各种调味料后蒸、烧、炸或煮熟，就做成了拥有各种口感和味道的鱼肉酱了。

1 制作肉酱

① 把鱼的头、内脏去掉，然后放进采肉机里把鱼肉和鱼皮、鱼骨头分开。

②把鱼肉放在机器里磨碎，磨成泥巴一样的肉酱。

2 制作调味肉酱
① 在泥乎乎的肉酱里加入盐和调味料。

② 把肉酱放到筛子上过滤，让它变得更细腻。

把鱼肉磨成泥巴一样的肉酱的机器。

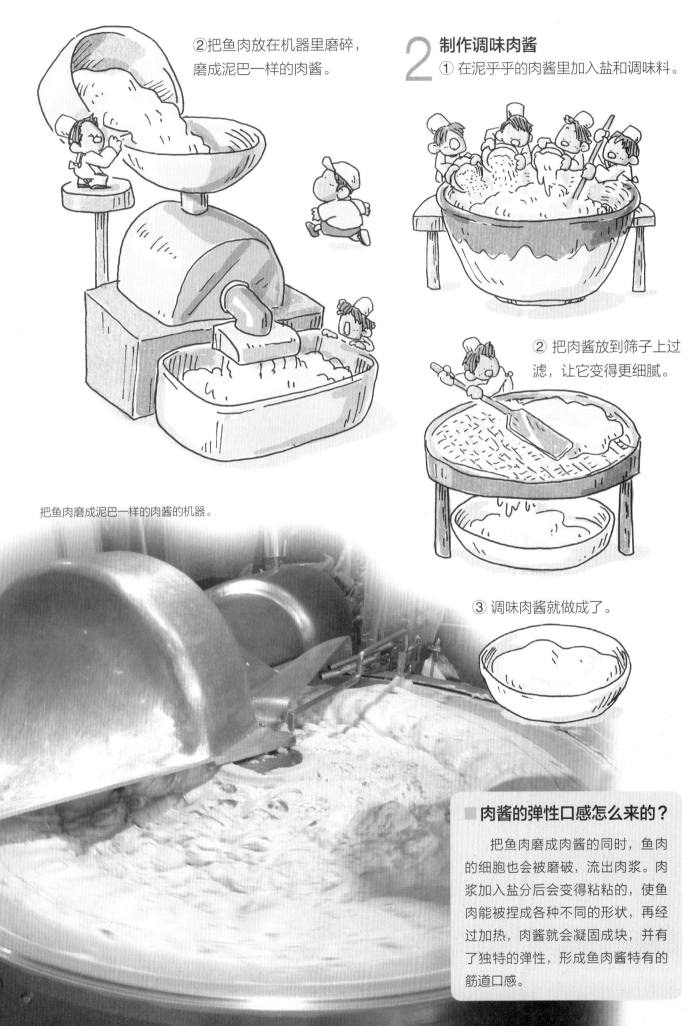

③ 调味肉酱就做成了。

肉酱的弹性口感怎么来的？

把鱼肉磨成肉酱的同时，鱼肉的细胞也会被磨破，流出肉浆。肉浆加入盐分后会变得粘粘的，使鱼肉能被捏成各种不同的形状，再经过加热，肉酱就会凝固成块，并有了独特的弹性，形成鱼肉酱特有的筋道口感。

3 制作鱼肉酱制品

炸鱼饼

① 把调味肉酱摊开，像饼一样，然后捏成各种形状。

② 用油炸透。

③ 用包装袋装好，香喷喷的炸鱼饼就做好了！

鱼肉饼/鱼丸

①搅拌肉酱，让空气进入，然后加入山芋、蛋白等配料，再用盐或糖等调味。

②把鱼肉酱揉捏得像平板或者丸子一样。

③用高温煮熟它。

④放入包装袋里，鱼肉饼/鱼丸就新鲜出炉咯。

鱼肉饼

这是自动油调理机，能自动地炸出一块块金黄的炸鱼饼。

竹轮

①在肉酱里加入盐或砂糖，用力搅拌。

②在小木棒外卷上一层肉酱，做成鱼肉卷。

③烘烤鱼肉卷中间的部分。

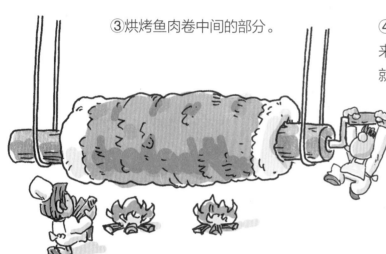

④将鱼肉卷取下来包装好，竹轮就做好了。

一边转动鱼肉卷，一边从下面用火烧烤。

将烤好的鱼肉卷从棒子上取下来。

鱼板

① 在鱼肉酱中加入食用红*，做成红色鱼糕。

② 把鱼糕放在板子上，压成横截面为半圆形的均匀条状。

③放在锅里用高温蒸熟。注意，有的鱼板需要烧烤它的表面，使其焦黄焦黄的。

④包装好后，美味的鱼板就做好了。

■为什么要把鱼板放在板子上蒸？

这种做法很早就有了，为什么这么做呢？因为把鱼肉酱放在板子上更容易做成各种形状，拿取也更方便，而且在蒸煮和冷却时板子还能吸收水分，防止鱼肉腐败，以得到更加新鲜可口的鱼板。

*给食品上色用的红色色素。

黄油和人造黄油

黄油和人造黄油看起来差不多，都是浅黄色的，但它们的味道却有很大的不同，你知道这是为什么吗？

黄油是用牛奶做成的，而人造黄油是用大豆油、玉米油、菜籽油等植物油做成的，所以它们的味道会有差别。黄油的营养非常丰富，是奶制食品中营养最丰富的，因为50、60斤牛奶才能提出2斤左右的黄油，这是人造黄油比不了的。另外，黄油和人造黄油的硬度也不一样，黄油更硬一些，以至于用来涂抹面包的时候会觉得比较困难。

黄油

1 从牛奶中提取脂肪成分
把牛奶放进离心分离机中，通过高速旋转分离出脂肪含量较多的生奶油[*2]和脂肪含量较少的脱脂奶。

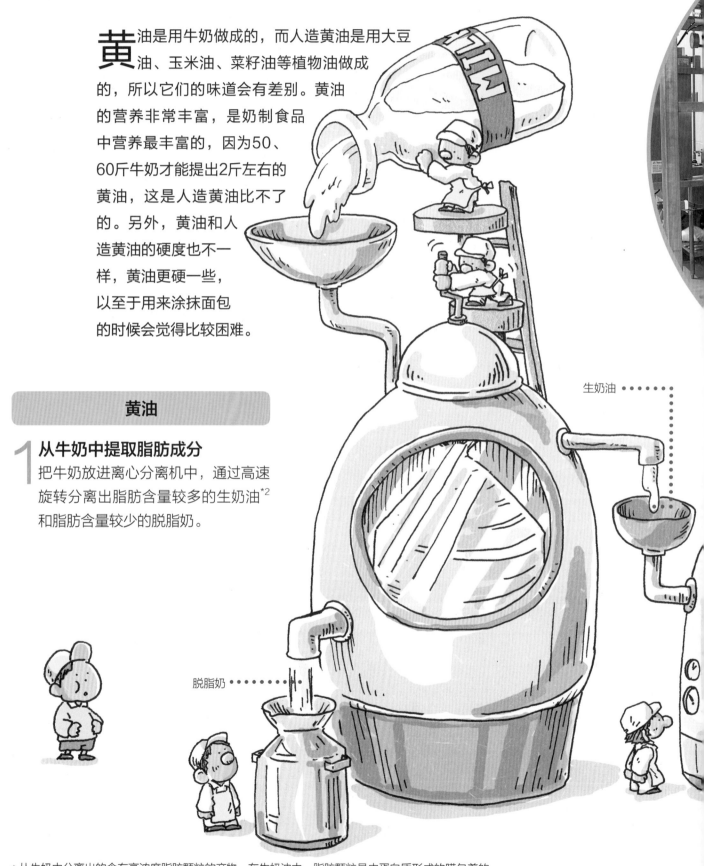

生奶油

脱脂奶

* 从牛奶中分离出的含有高浓度脂肪颗粒的产物。在生奶油中，脂肪颗粒是由蛋白质形成的膜包着的。

可高速旋转，分离出生奶油和脱脂奶的离心分离机（乳脂分离器）。

制造黄油的原理

你知道吗？早在公元前2000年就有黄油了。4000多年来，黄油的制作方法都没有改变过，都是快速搅拌从牛奶中分离出的生奶油，使其中的脂肪颗粒聚集起来以得到黄油。

公元前500年前后，史书中有这样的记载："将牛马的乳汁放在桶里剧烈震动，表层浮起的物质捞出来就成了黄油。"很奇特吧？不过，更奇怪的是，古时候黄油不是用来吃的，而是用来涂在头发或身体上，作为药物或祭品使用的。

让生奶油静置一段时间，让它熟成的设备——熟成罐。

2 **杀菌之后冷却**
把生奶油加热，用高温杀死细菌，然后将它迅速冷却。

3 **熟成**
把生奶油在低温（5℃左右）下静置8~12个小时，这叫做熟成。

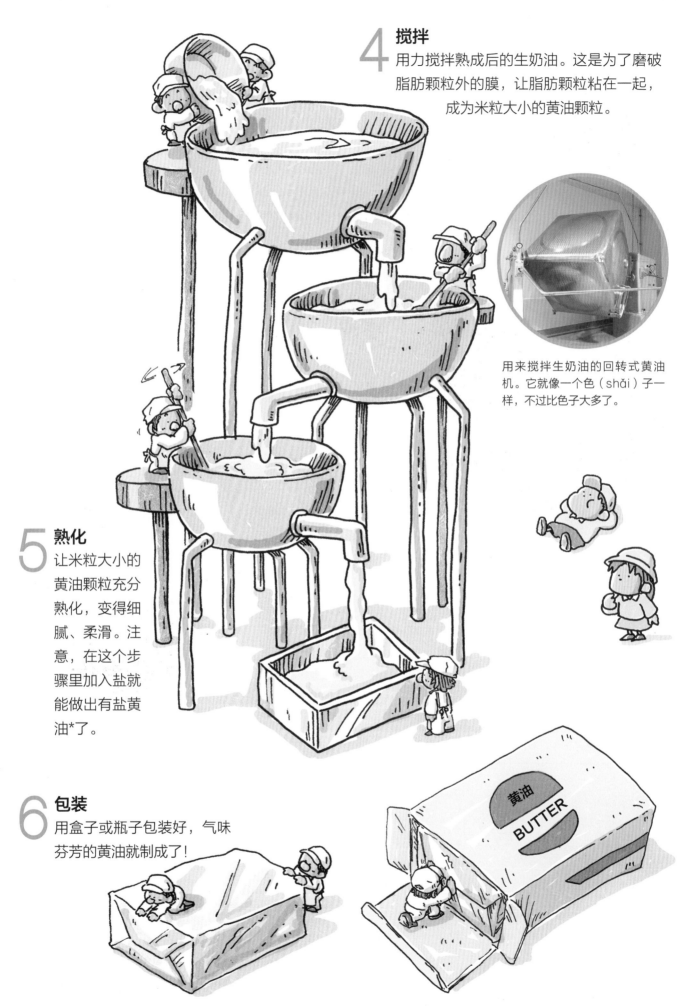

4 搅拌

用力搅拌熟成后的生奶油。这是为了磨破脂肪颗粒外的膜，让脂肪颗粒粘在一起，成为米粒大小的黄油颗粒。

用来搅拌生奶油的回转式黄油机。它就像一个色（shǎi）子一样，不过比色子大多了。

5 熟化

让米粒大小的黄油颗粒充分熟化，变得细腻、柔滑。注意，在这个步骤里加入盐就能做出有盐黄油*了。

6 包装

用盒子或瓶子包装好，气味芬芳的黄油就制成了！

黄油
BUTTER

*不添加盐分的叫做无盐黄油。

人造黄油

1 混合原料
在玉米油或大豆油中加入奶粉、食盐水和香料，让它们充分混合成乳状。

2 杀菌
在80℃高温下加热5秒，杀死其中的细菌。

3 冷却
杀死细菌后快速冷却，反复揉捏让它有一定硬度和韧度。

4 包装
装进小盒子里，包装好，人造黄油就做好了！

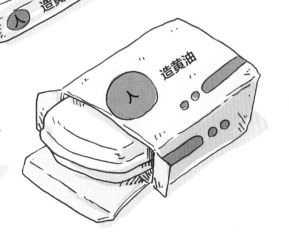

■ 人造黄油本来是黄油的代替品

人造黄油是19世纪后半期的法国人发明的，当时的法国正在打仗，黄油不足，法国皇帝拿破仑三世没办法，只好向民间募集黄油的代替品。最后还真让他得到了一个办法，那就是在牛油里加入牛奶等后冷凝成固体，人造黄油发明出来了。

火腿和香肠是如何熏制的

火腿和香肠都是我们经常吃的熟食，不用煮就可以直接吃，味道好极了！你知道它们是用什么做成的吗？

火腿是用猪腿腌制而成的，香肠是将动物的肉剁碎后，再灌入猪或羊肠做成的。火腿一般颜色鲜艳，红白分明，瘦肉又香又咸还有点甜，肥肉香而不腻，美味可口；香肠一般颜色红艳，咸中带甜，香气扑鼻。另外，有些火腿或香肠制作时不需要加热，有些则是加上盐后熏制[*1]并加热做成的。

火腿

1 去除脂肪
用刀去掉猪腿肉上多余的脂肪。

2 加入盐
①把猪腿肉泡在盐水里，盐水中还会加入香料。

②然后把它放在冷藏库里熟化，时间要在一周以上。

*1 用烟火烘烤。

3 成型

用清水洗干净熟化的猪腿肉，去掉它表面的盐分，然后装进肠衣*2里。

■ 什么是生火腿?

我们常说的生火腿是怎么做的呢? 其实很简单，把猪腿肉用盐腌制几周后洗掉盐分，不经过熏制或蒸煮，自然风干就做成了，不过，时间比较长哦，一般要几个月甚至几年。另外，不用担心，虽然没有经过加热，但由于盐的作用，生火腿也能够保存很长一段时间。

4 熏制

用烟火烘烤，烤熟后放在温水里冷却。

在熏制室里的火腿。

5 包装

把猪腿肉切成一片片的，包装好后，火腿就做好了。

火腿 HAM
火腿 HAM
火腿 HAM

*2 加工火腿时用来装猪腿肉的袋子。本来指的是传统方法中用来包住火腿的羊或猪的肠子。

火腿和香肠

香肠

1 去除脂肪
去除肉中多余的脂肪。

2 加入盐
① 把肉泡在盐水里，也会加入香料哦！

② 然后把肉放进冷藏库中熟化，时间要在一周以上。

■ 香肠的不同种类

在中国，香肠的种类很多，最出名的有贵州麻辣香肠、蒜香孜然香肠、如皋香肠、远鸿睢宁香肠和波罗罗卡香肠等。

贵州麻辣香肠：用柏枝、果木烟熏，瘦肉/肥肉比为 6/4，用猪的前夹肉制作，配料考究。

蒜香孜然香肠：制作简单，营养丰富，既可以作为菜，也可以当作零食，边走边吃。

如皋香肠：每根长约 7 寸，原料净重 9 两，晒干后约 6 两左右，被称为"如式"香肠。

远鸿睢宁香肠：用猪后腿的精肉和数十种名贵天然植物香料精心制作。农家风味，腊香袭人，回味久长。

波罗罗卡香肠：传说中马可波罗在元大都食用的香肠，据说"外酥内嫩，巧夺天工，犹如神仙制造的一样"。

3 成型

① 将肉绞碎成糊状肉末，然后加入调料。记住，肉末越细越好。

② 把肉末装进猪肠或羊肠里。哈，这很好玩吧？

4 熏制

用烟火烘烤熏制之后，放在温水中冷却。

在工厂里将香肠串在一起悬挂起来，送入熏制室里。你是不是流口水了？

5 包装

一根根包装起来，美味的香肠就可以上市啦。

肠 SAUSAGE

薯条和薯片的制作方法

大家都吃过麦当劳、肯德基吧？那你也一定吃过金黄香脆的薯条和薯片了。它们可是世界上最流行的快餐食品之一呢！

薯条和薯片是以土豆为原料油炸而成的食品，但它不是用那些用来炒菜的家常土豆做成的，而是选用金黄色肉质品种的土豆，这些土豆个头大、糖分低。你知道吗？在工厂里把土豆变成薯条或薯片并包装成袋，只需要短短的15~20分钟哦！

1 剥皮
用水洗干净土豆，削去它的皮，还要仔细去除土豆的芽或受损部分。

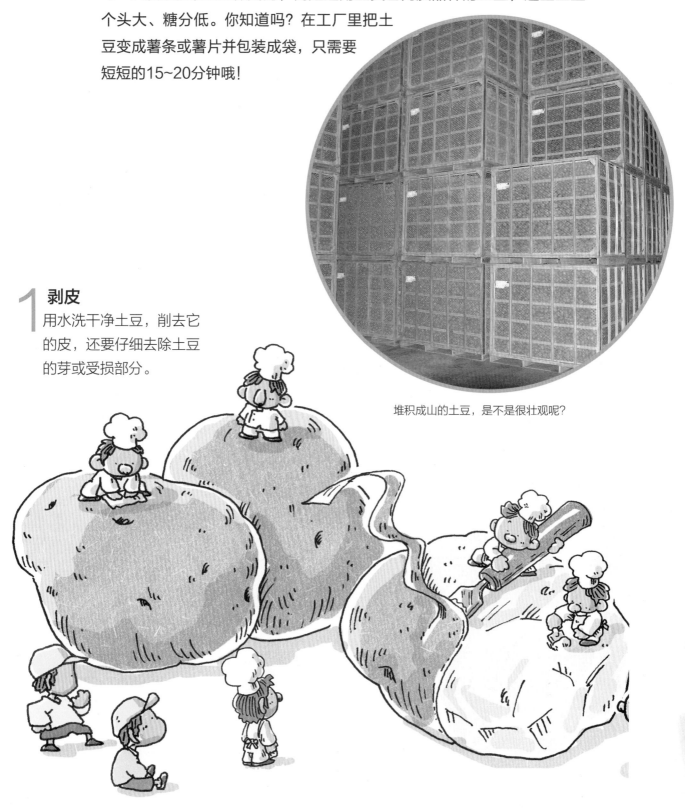

堆积成山的土豆，是不是很壮观呢？

2 切片

① 把土豆切成一片片的，不太厚也不太薄。

② 把切好的土豆片用水洗干净。

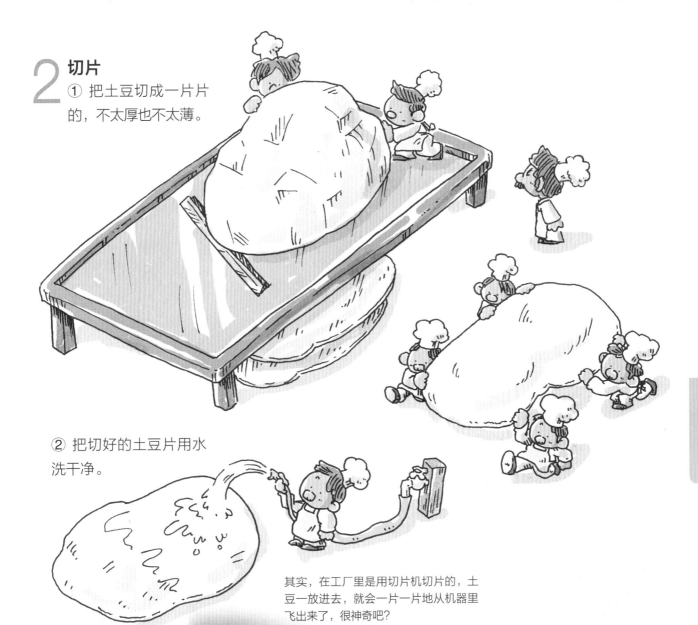

其实，在工厂里是用切片机切片的，土豆一放进去，就会一片一片地从机器里飞出来了，很神奇吧？

■ 薯片诞生的秘密

你知道薯片是怎么诞生的吗？这还有一个故事呢！1800年的某一天，美国一家餐馆里有顾客抱怨说"炸土豆实在是太厚了"，于是厨师就把土豆切成纸一样的薄片然后用油炸，客人们吃起来赞不绝口，觉得十分美味，从此，薯片诞生了，并受到越来越多人的喜爱。

3 油炸

① 把土豆上的水分去掉。

② 把土豆片放到滚烫的油里炸，一直炸到金黄焦脆为止。

③ 把那些炸焦了或变红的土豆片挑出来，不要它们。

薄薄的土豆片纷纷落进滚烫的油锅里。

人工挑出炸焦了的土豆片，不能用机器。

4 调味

用盐或其他调味料调味。

5 包装

把薯片包装好，金黄、香脆的薯片就做好了。

■ 一袋薯片要用几个土豆呢？

你知道吃掉一袋薯片你吃掉了几个土豆吗？土豆一个大概重 100g~150g，而土豆中含有 80% 的水分，因此经过油炸之后，每 100g 土豆成为 20g 的薯片。这样算下来，一袋 60g~80g 的薯片就要用到 3~4 个土豆呢。

蛋黄酱是如何加工的

你知道蛋黄酱吗？它也叫沙拉酱、白汁，是一种用蛋黄做成的清香爽口的调味酱，一般用来拌沙拉，味道很鲜美。

你一定吃过蔬菜沙拉或水果沙拉吧？那你也一定吃过蛋黄酱了，因为蛋黄酱是做沙拉的原料之一。蛋黄酱，顾名思义，是用蛋黄做的，但其实现在也有用蛋黄和蛋白一起做的蛋黄酱。现在你知道为什么沙拉那么香甜可口了吧？这都是蛋黄酱的功劳呢！

1 打蛋

① 将鸡蛋洗干净。

② 轻轻打开蛋壳，取出蛋黄。

这是一分钟能打出600个鸡蛋的高速打蛋机，厉害吧？

2 过滤

① 将蛋黄放到过滤机里去，把蛋黄以外的物质过滤掉。

② 在低温环境下杀死蛋黄中的细菌，然后送进储藏罐里。

3 调味

把蛋黄转移到调和罐里，加入醋、食盐、调味料等调整它的口味。

4 混合搅拌

再转移到搅拌机里，加入植物油后用力搅拌。

5 精加工

倒进乳化精整机里，再用力搅拌。这可以让混合物更加细腻柔滑。

■蛋壳和蛋膜也要有效地再利用

蛋黄用来做蛋黄酱了，剩下的蛋白、蛋壳等是不是就成了垃圾了呢？

不是的，它们都有其他的用处。比如蛋白可以用来做蛋糕、鱼糕或火腿，蛋壳则可以用来做饼干等食品。

蛋壳上附着的薄膜也有用处。过去常用它来治疗皮肤上的伤口，现在则经常用在化妆品的制作中。你看，鸡蛋真是全身都是宝啊！

6 装进容器

把做好的蛋黄酱装进容器里，清香爽口的蛋黄酱就完成了。

为了防止灰尘进去，装蛋黄酱的塑料瓶子都是封着口的。因此，在向瓶子里装蛋黄酱之前，一定要瓶口朝下地把瓶口切开，这样切下来的小碎片才不会掉进瓶子里。

■ 蛋黄酱在中国

在 19 世纪末，很多欧洲美食传入中国，蛋黄酱也随之而来，只不过广东、香港、澳门一带叫做"万尼汁"或"万那汁"，江苏浙江一带叫做"沙拉油少司"，东北地区叫做"为麻奈沙司"，华北地区叫做"马乃司少司"。现在，随着我们生活水平的提高，越来越多的人喜欢吃蔬菜沙拉和水果沙拉了，蛋黄酱也越来越得到人们的喜爱！

蛋黄酱

食品制作的补充知识

大豆能做成的食品

　　大豆种植起来很简单，营养又丰富，所以很早人们就研究出了许多方法，把大豆变成各种各样美味的食品。

挤榨 → 油

煎炒磨粉 → 大豆粉

煮后发酵 → 味增　酱油　纳豆

煮后磨碎、挤榨 → 豆浆 → **加热** → 豆腐皮

豆浆 → **凝固** → 豆腐 → **冰冻** → 冻豆腐

烧 → 烧豆腐

油炸 → 油炸豆腐　炸豆腐　油炸豆腐饺

冻豆腐

豆腐皮

鲜奶可以做成这些食品

　　刚挤出来的奶被称为鲜奶，可以做成各种各样的食品。

杀菌 → 普通牛奶

除去脂肪 → 脱脂奶、脱脂奶粉

用乳酸菌发酵 → 酸奶

利用脂肪成分 → 黄油、生奶油

凝固蛋白质成分 → 奶酪

多种多样的发酵食品

利用有益微生物的活动来制造的食品称为发酵食品。右边的表格里是一些我们常见的食品和与发酵有关的微生物。

食品	材料	主要微生物
味增	大豆、米	曲霉、酵母、乳酸菌
酱油	大豆、米	曲霉、酵母、乳酸菌
醋	米	曲霉、酵母、乳酸菌
纳豆	大豆	纳豆菌
奶酪	奶	乳酸菌、霉菌
酸奶	奶	乳酸菌
面包	小麦	酵母
啤酒	大麦	酵母

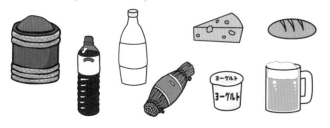

这是将曲霉和原料混合在一起制造酱油的现场照片。

保存食品的知识

保存食品的方法主要有干燥、用盐腌制和用醋浸泡几种。

食品保存的关键在于去除其中的水分，或使用具有杀菌作用的物质，或密封让它无法接触空气。利用这些不同的方法，就可以保持食材新鲜，不至于浪费。

主要的保存方法	代表食品
使用砂糖	果酱
使用盐	火腿·香肠、梅干、咸菜
使用醋	泡菜等
使用油	油焖沙丁鱼等
干燥	海带、紫菜等
烟熏	烟熏三文鱼、火腿·香肠等
发酵	奶酪、纳豆等
冷冻	各种冷冻食品

保存方法、保存容器等的进步

杯面、罐头、冷冻食品、真空干燥食品……现在，到处都有这些可以简单快速食用、长久保存的食品。随着技术的进步，可以在太空中吃的食品也被开发了出来。

太空食品拉面
这种拉面把油炸面条和汤一起包在袋子里，在太空失重环境下也不会四处飞散。

NOODLES W/ SOUP, ORIGINAL

100 mL HOT WATER

太空食品咖喱
这是可以在太空中吃的速冻咖喱。在失重环境下咖喱酱很容易飞散，因此这种速冻咖喱比普通咖喱的粘性要强。

各种食品添加剂

食品添加剂的作用主要有右边这三种。主要的食品添加剂见下表。

① 使食品的制造和加工更容易。
② 给食品调味或加色。
③ 保持食品的品质。

种类	用途
甜味剂	给食品加入甜味
着色剂	给食品添加颜色，或是调整食品的颜色
保存剂	抑制霉菌和细菌的产生，延长食品保存性，防止食物中毒
增粘剂、安定剂、凝固剂、胶黏剂	增加食品的顺滑度和粘度，防止食品分散，增强食品的安定性
抗氧化剂	防止油脂等的氧化，增强保存性
增色剂	改善食品的色泽
漂白剂	漂白食品，使其洁白美观
防霉剂	防止柑橘类食品发霉
香料	给食品添加香味
酸味剂	给食品添加酸味
调味料	增加食品的美味，调整其口味
豆腐用凝固剂	制作豆腐时用来使豆腐凝固
碱水	调出面条的口感和风味
膨胀剂	做蛋糕等时用来使蛋糕膨胀松软
营养强化剂	强化维生素和矿物质等营养元素

从品质标签到原材料

罐头、冷冻食品、杯面、果汁、调味料等加工食品的外包装上都应该标明配料、贮存条件等信息。通过这些标示，我们就能知道这些食品是用什么材料做成的。

品名
能够表现食品性质的一般食品名称。

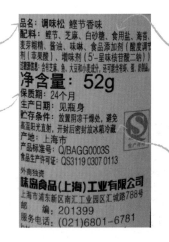

品名：调味松 鲣节香味
配料：鲣节、芝麻、白砂糖、食用盐、海苔、麦芽糊精、酱油、味啉、食品添加剂（酸度调节剂（苹果酸）、增味剂（5'-呈味核苷酸二钠））
（温馨提示：含有芝麻、鱼、大豆和小麦成分。还可能含有虾、蟹、奶制品。）
净含量：**52g**
保质期：24个月
生产日期：见瓶身
贮存条件：放置阴凉干燥处，避免高温阳光直射，开封后密封放冰箱冷藏
产地：上海市
产品标准号：Q/BAGG0003S
食品生产许可证：QS3119 0307 0113
外商独资
味岛食品（上海）工业有限公司
上海市浦东新区南汇工业园区汇城路788号
邮　编：201399
服务电话：(021)6801-6781

配料
根据使用量从多到少的顺序排列。如果使用了食品添加剂的话，要在原材料后面标明。

最佳食用期或保质期
鱼肉、盒饭、豆腐等容易变质的食品包装上应该标明保质期[1]，冷冻食品、果酱、罐头等能长期保存的食品也要标明最佳食用期[2]。

贮存条件
与食品相应的适当的保存方法。

[1] 从制造起一段时间内必须食用的期限标示。　　[2] 在一段时间内食用口味最好的期限标示。

Part 2
家用物品篇

铅笔的生产流程

你经常用携带轻便、书写顺手的铅笔吧？但你知道它是用什么做成的吗？是石墨！一起来看看吧！

你知道铅笔杆上面的H、B是什么意思吗？原来铅笔是用石墨和加颜料的黏土做成笔芯的，铅笔芯的硬度由黏土和石墨的混合比例决定。黏土的比例较大时，铅笔芯比较硬，写出的字迹就比较淡。标在铅笔杆上的H、B记号就表示铅笔芯的硬度和笔迹浓度，H是Hard（硬），B是Black（黑）。H前面的数字越大，就表示这支铅笔笔芯越硬，写出的字迹越淡；B前面的数字越大，表示铅笔芯就越软，写出的字迹就越黑。

1 混合笔芯材料

① 在石墨和黏土里加水，把它们用力搅拌成颗粒小小的、粘乎乎的混合物。

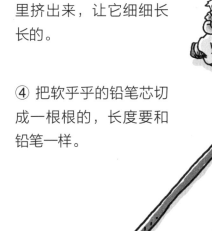

② 用力压混合物，把空气赶出去。

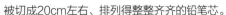

被切成20cm左右、排列得整整齐齐的铅笔芯。

③ 将混合物从一个小孔里挤出来，让它细细长长的。

④ 把软乎乎的铅笔芯切成一根根的，长度要和铅笔一样。

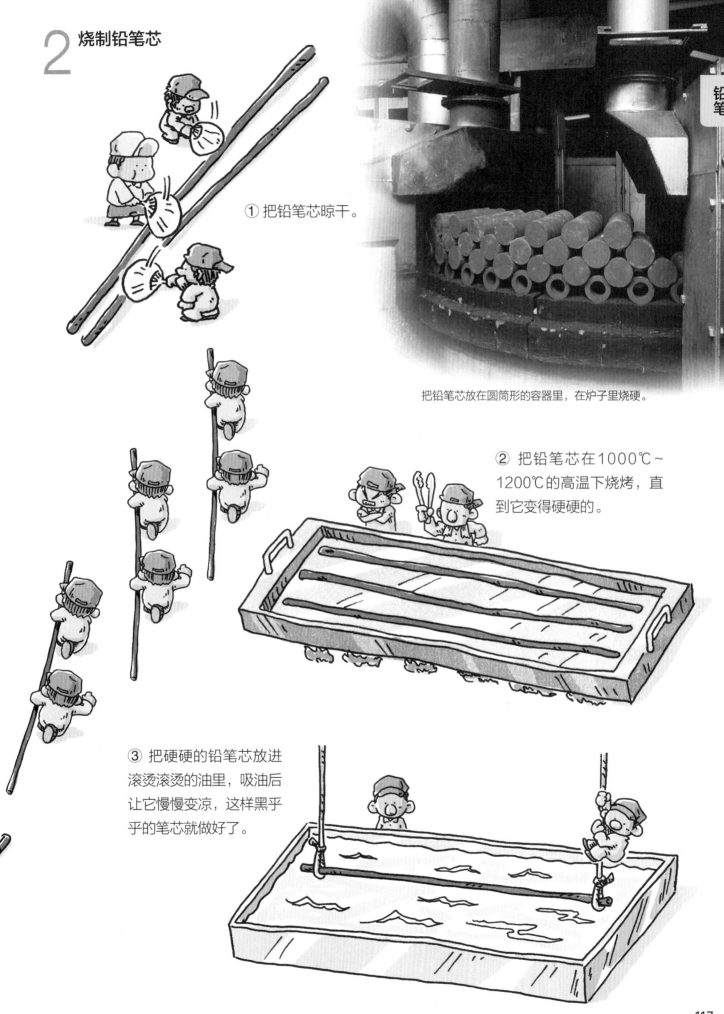

2 烧制铅笔芯

① 把铅笔芯晾干。

把铅笔芯放在圆筒形的容器里，在炉子里烧硬。

② 把铅笔芯在1000℃～1200℃的高温下烧烤，直到它变得硬硬的。

③ 把硬硬的铅笔芯放进滚烫滚烫的油里，吸油后让它慢慢变凉，这样黑乎乎的笔芯就做好了。

■ 六角形的铅笔

很多铅笔都是六角形的，这是为什么呢？原来是因为六角形的铅笔比较好握在手里，放在桌子上也不容易到处滚动。

就是因为这个原因，现在，六角形的铅笔很常见呢。不过，画画的时候需要多种角度和方式握住铅笔，所以一般用圆形的铅笔，这样手指接触范围会更大，更方便我们画画。

用来做笔杆的木头最好是翠柏，它也叫铅笔柏，是柏木的一种。这种木头质地细腻、枝节少、纹理笔直，非常适合用来做铅笔杆。

3 把铅笔芯放到笔杆里

① 把用来做笔杆的木板切成和铅笔一样的长度，然后在木板上挖出放笔芯的槽。

② 把铅笔芯放进槽里。

③ 在木板上涂上粘合剂。

④ 把另一块同样挖出了笔芯槽的木板粘在这块涂了粘合剂的木板上，直到粘合剂变干。

4 制作铅笔外形

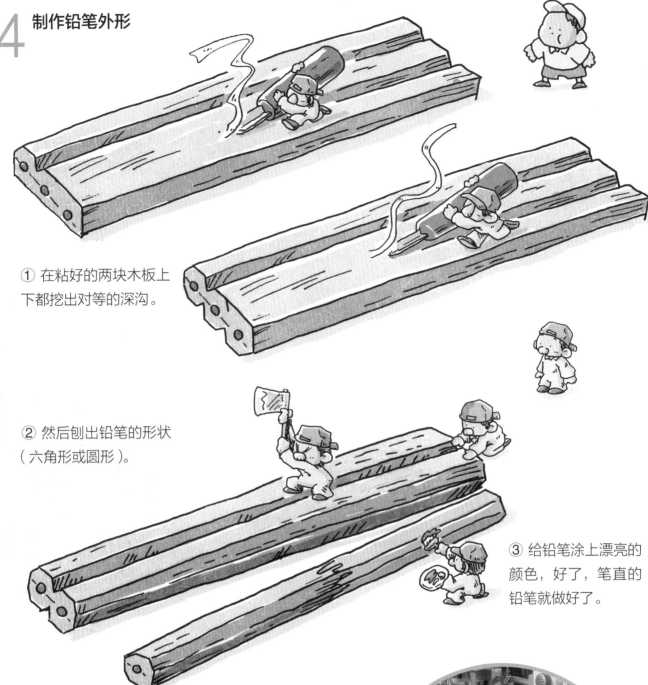

① 在粘好的两块木板上下都挖出对等的深沟。

② 然后刨出铅笔的形状（六角形或圆形）。

③ 给铅笔涂上漂亮的颜色，好了，笔直的铅笔就做好了。

■ 铅笔芯的硬度

你知道吗？彩色铅笔的铅笔芯和普通铅笔是不一样的，它没有使用黏土制作。将能涂出颜色的颜料、能使书写更顺滑的滑石粉或蜡、起凝固作用的粘合剂等和水一起充分混合，就能制造出五颜六色的彩色铅笔芯了。因为没有经过普通铅笔的高温烧烤过程，彩色铅笔芯更加柔软。

另外，自动铅笔的笔芯也不用黏土制作，使用的是塑料，这让它更硬了。

铅笔被一支一支地装进盒子里。

怎么把玻璃变成镜子

你有好看的小镜子吗？亮亮的、滑滑的？你是不是每天都照镜子呢？你第一次在镜子里看到自己是不是很吃惊？

现在，我们每天都照镜子把自己打扮得漂漂亮亮的，可是你知道古时候没有镜子时，人们是怎么做的吗？据说，古时候的人们刚开始是利用池塘等平静的水面做镜子的；后来人们将石头或金属磨得滑滑的作为镜子使用；再后来，意大利的玻璃工匠发现在玻璃的一面涂上水银后就可以反射光线，照出人的影子，于是镜子终于被发明出来了。

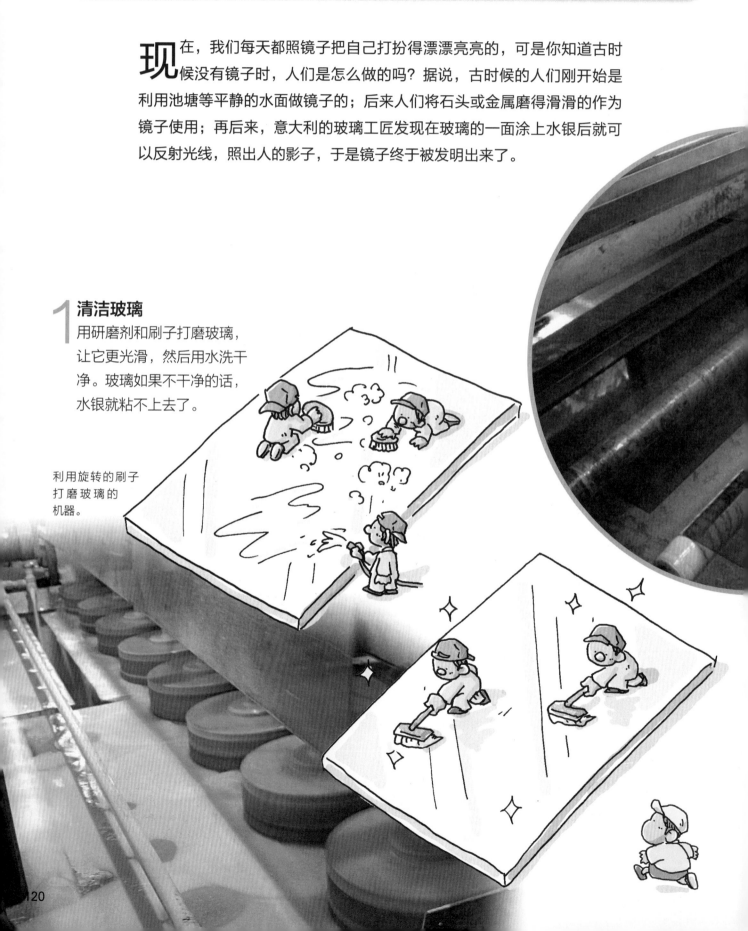

1 清洁玻璃

用研磨剂和刷子打磨玻璃，让它更光滑，然后用水洗干净。玻璃如果不干净的话，水银就粘不上去了。

利用旋转的刷子打磨玻璃的机器。

2 单面镀银 *

① 为了让水银紧紧地粘在玻璃上，在玻璃的一面涂上药水（锡的水溶液），再用蒸馏水洗干净。

在玻璃表面涂上一层银膜，这叫镀银。

② 把硝酸银、氢氧化钠和葡萄糖等充分混合在一起，做成镀银溶液。

③ 在玻璃的一面均匀地涂满镀银溶液（镀银），一定要涂满。

■ 汽车镜是用铝制造的

你知道吗？汽车和摩托车的后视镜、倒车镜等不是用水银而是用铝做的，这是为什么呢？原来它们需要经常暴露在雨中，水银和水在一起，水银就会起泡！

而铝和水不会起化学作用，所以汽车和摩托车的后视镜、倒车镜用铝代替水银薄薄地涂在了玻璃上。这样做出来的镜子更耐磨，适合在天气和温度变化多端的户外使用。

● 镜子的反射原理

镜子为什么能反射景物？你了解吗？原来是由于光的反射作用。

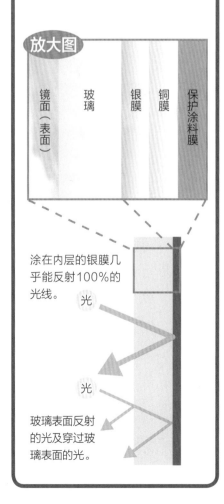

放大图

镜面（表面）　玻璃　银膜　铜膜　保护涂料膜

涂在内层的银膜几乎能反射100%的光线。

光

光

玻璃表面反射的光及穿过玻璃表面的光。

* 将水银薄薄地涂上一层叫做镀银。这是一种用薄金属膜覆盖表面的工艺。

3 在银膜上镀铜

① 然后在银膜上镀上一层铜，这可以防止银膜接触空气后变质。

② 最后在铜膜上再涂上一层涂料，以保护银膜和铜膜。

4 干燥

用远红外加热器干燥镜子。

5 检查

检查一下没有镀银的那一面玻璃有没有损害、内层的银膜有没有异常。

6 加工

① 用玻璃刀切割做好的大镜子。

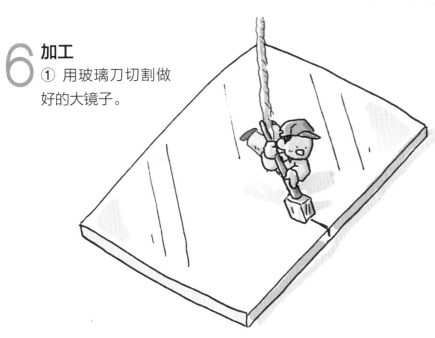

② 沿着切割线把镜子掰断，做成一块一块的小镜子。

7 精加工

打磨镜子边缘的切口，让它平滑不割手。这样，光滑明亮的镜子就做好了！

■ 什么是魔术镜?

有一种镜子，安装在房间之间的窗户上，从一面看是普通的镜子，只能看见自己的倒影，看不见另一个房间内的情景，从另一面却能清楚地看到外面，这是为什么呢？原来这是单向透视玻璃，又叫做魔术镜。这种镜子镀银层比一般镜子还要薄，也没有镀铜。因此放在明亮房间和昏暗房间之间时，从明亮的一边向昏暗的那边看去，就像是看到了镜子，会反光；从昏暗的一边看向明亮的一边，却能看过去，就像玻璃窗一样。

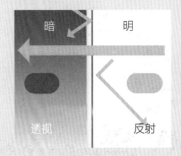

暗　　明

透视　　反射

玻璃　水银

镀银层非常薄，因此光线一部分会被反射，一部分能透过玻璃。而从暗处发出来的光线被明亮场所的光线掩盖住了，因此明亮场所的人看不到暗处的样子。

蚊香的制作方法

夏天最令人讨厌的是什么？我想一定是蚊子了！那么，你买蚊香了吗？你知道蚊香能灭蚊的秘密是什么吗？

蚊香点燃后，散发的味道香香的，可是蚊子一闻到这种味道，就昏昏欲睡，为什么呢？原来制作蚊香的主要原料是一种叫做除虫菊的植物，它的花的子房部分含有除虫菊酯，正是除虫菊酯散发的味道赶走了蚊子。不过现在大多数蚊香使用的都是化学合成的拟除虫菊酯成分。

除虫菊的花。花的子房里含有除虫菊酯。

提取除虫菊酯的时候，要把除虫菊的花摘下来晒干后磨成粉。

1 混合材料

在拟除虫菊酯粉末里加入锯末和植物性粉末浆糊，用力搅拌后就得到了浅茶色的混合物。

2 搅拌

加入清水后再用力搅拌，直到混合物变得软软的。另外，想要绿色的蚊香吗？加入绿色的染料吧！

这是碾磨机，它的碾子有400公斤哦！

3 碾平

用压制机把混合物碾成厚0.5厘米的长长的薄片，然后切成一段一段的。

4 压制

① 把蚊香模具压在薄片上。

② 压制出两个互相绕在一起的可爱的蚊香圈。

在工厂里，压制机可以一次性地压制出很多蚊香圈。

5 干燥

① 把互相绕在一起的两个蚊香圈放在网状的隔板上。

② 然后放到干燥室里两天左右，除去水分，最后装进盒子里，蚊香的制作就完成了。

■ 为什么蚊香盘绕在一起像线圈一样呢？

据说蚊香的灵感来源是寺庙里使用的线香。

最初的蚊香和线香一样，细长细长的，像小棒子一样，燃烧的时间比较短，也很容易在运送的时候折断。为此，人们就想，怎样才能让蚊香能够长时间燃烧并且更结实呢？最终，线圈状的蚊香出现了。你相信吗？线圈状蚊香展开后长度有75厘米，能燃烧7个小时左右呢。

棒状的蚊香，长度约20厘米。

干电池的由来

一节一节的干电池你一定见过吧? 它的用途很广泛,闹钟、计算器要用到它, 电视、空调的遥控器也要用到它。那它是怎么工作的呢?

普通干电池大都是锰锌电池, 或叫碳锌电池, 中间是正极碳棒, 外包石墨和二氧化锰混合物, 最外层是金属锌皮做的筒, 也就是负极。记住, 它是一种一次性电池, 电用完后是不能再充电的。

1 制作锌筒

① 用模具在锌板上挖出六角形的小锌块。

碱性电池。凸起一端是正极, 平滑一端是负极。

正极 ⊕
金属盖子
绝缘圈
隔离层(绝缘物质)
二氧化锰
电池管
碳棒
金属外壳
绝缘圈
树脂管
锌筒
金属底板
负极 ⊖

② 把小锌块放在圆孔里, 从上面用硬棒用力挤压, 把它变成圆筒形。

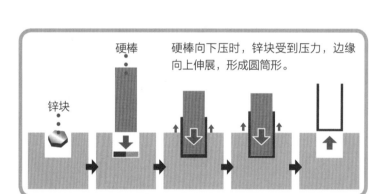

硬棒

硬棒向下压时, 锌块受到压力, 边缘向上伸展, 形成圆筒形。

锌块

2 制作正极的材料
把二氧化锰和电解液*[1]混合在一起，作为制造正极的材料。

3 放进隔离层
在锌筒里放进卷成圆筒形的隔离层*[2]，锌筒底部也要铺上隔离层。

4 加入材料
在铺好了隔离层的锌筒里，倒进步骤2里做好的材料，再把一张大小刚好、中间挖了小孔的圆形纸盖在上面。

*1 在电离反应中起介质作用的溶液。

*2 为干电池特制的纸张，有绝缘作用，可以把电池内部正极材料和负极材料隔离开，不让它们产生化学反应。

5 插入碳棒

① 从圆形纸正中间的孔里插入碳棒，露出碳棒顶端，作为电池的正极。

② 再盖上一个中间有孔的塑料盖子。

6 盖上电池管

在锌筒的底部加上作为负极的金属底板和绝缘圈后，为了防止漏电，记得还要盖上一个用树脂做成的电池管。

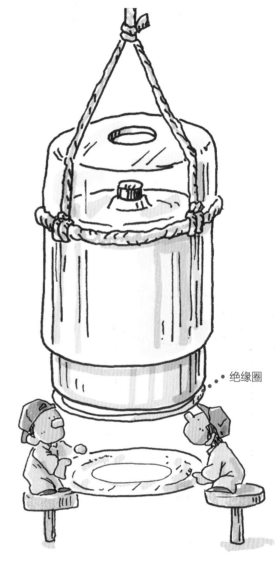

••••> 绝缘圈

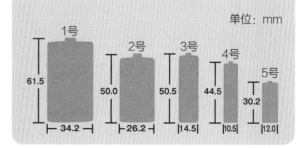

● 各种各样的电池

根据用途和外形等的不同，电池分为许多种，这里为大家介绍的碱性电池是常见的一次性干电池，除此之外还有能反复充电使用的干电池哦！

一次性电池

锌原电池
使用锌溶液制造，比普通锰电池耐用2倍以上。

一次性锂电池
使用锂轻金属制造。由于没有水分，不容易结冰，非常耐寒。

纽扣电池
外观像纽扣一样的小电池，常用在手表、计算器里。

可重复使用电池

锂离子电池
使用锂离子制造，可以充电反复使用。

镍氢电池
使用镍等储氢合金（可以吸收和放出氢的合金）制造，能够长时间使用。

其他种类

太阳电池
利用半导体受光后会放出电子的性质制成的电池。用太阳光来充电。

■ 干电池的大小

个头越大，干电池电压越高，对吗？不对，记住，不管多大干电池都是1.5V的。不过，干电池越大越耐用倒是真的。

单位：mm

1号 61.5 ├34.2┤
2号 50.0 ├26.2┤
3号 50.5 |14.5|
4号 44.5 |10.5|
5号 30.2 |12.0|

7 放进铁罐子

把完成的部分放进铁罐子里。

8 封盖

盖上正极一端的金属盖子和绝缘圈，电池就做好了。看，灯亮了！

棒球手套的制作方法

大家都看过棒球比赛吧? 接球手是不是很酷? 他们用手接高速飞来的棒球, 难道不疼吗? 不用担心, 他们有棒球手套!

你知道吗? 19世纪中叶, 在刚有棒球比赛的时候, 队员们是赤手空拳参加比赛的, 没有棒球手套可戴。棒球手套是用牛皮或人工皮革做成的, 一头牛的皮只能做出5个手套而已。另外, 手套中除拇指以外的四个手指挨在一起, 而且为了缓冲投手投球的巨大力量, 里面的海绵内衬相对其他位置也要厚很多呢。

1 制作图样

设计好棒球手套的不同部分, 并制作出每一个部分的图样。

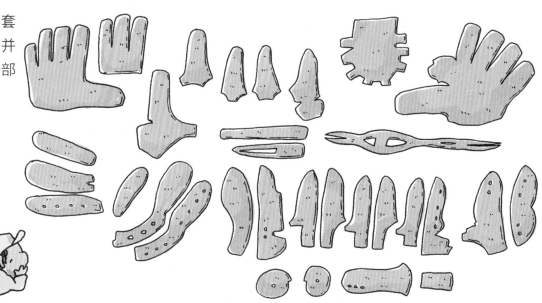

2 裁剪皮革

① 按照图样做出模具, 然后对比着模具裁剪皮革, 得到手套的各个部分, 怎么样, 很简单吧?

② 用机器用力压裁好的皮革, 让它厚度平均, 要不然手套戴起来可不舒服哦!

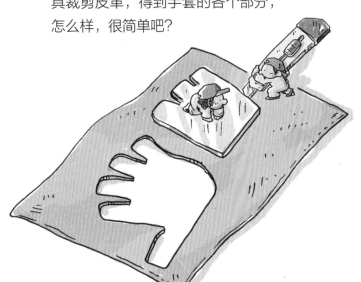

3 印上图章

在手套背面印上品名或品牌等标志。

4 缝制手套外侧

① 把要用来做手套外层的皮革翻过来，然后缝起来。

② 再用滚筒把缝线的痕迹压平。

滚筒 • • • • • • • • •

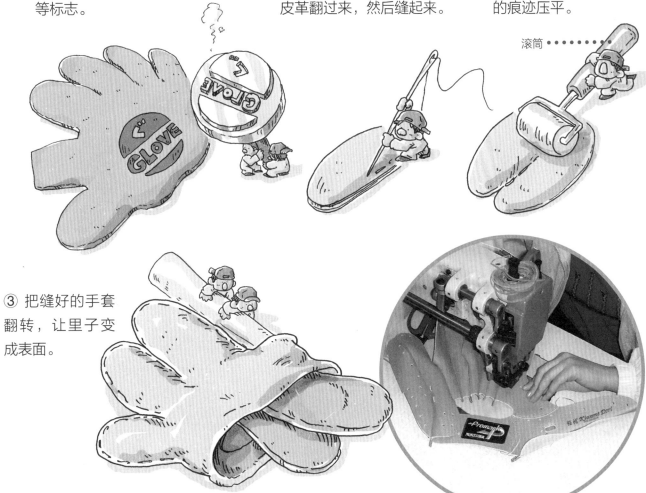

③ 把缝好的手套翻转，让里子变成表面。

在工厂里是使用缝纫机来缝制手套的。

④ 使用烙铁和小锤子，修整指尖的形状，让它更好看，戴起来更舒服，这就完成外层手套的制作了。

手指形状的烙铁。

5 缝制手套内侧

① 缝好手套内层。

② 在食指、中指、无名指部分缝上软毛毡，这回你知道为什么接球手敢用手接速度那么高的棒球了吧？

6 将外层和内层缝合起来

① 在手套内层涂上浆糊，然后把手套外层套在外面。

② 在边缘和四周缝上补充和装饰的皮革，要记得将皮革的毛边缝合好。

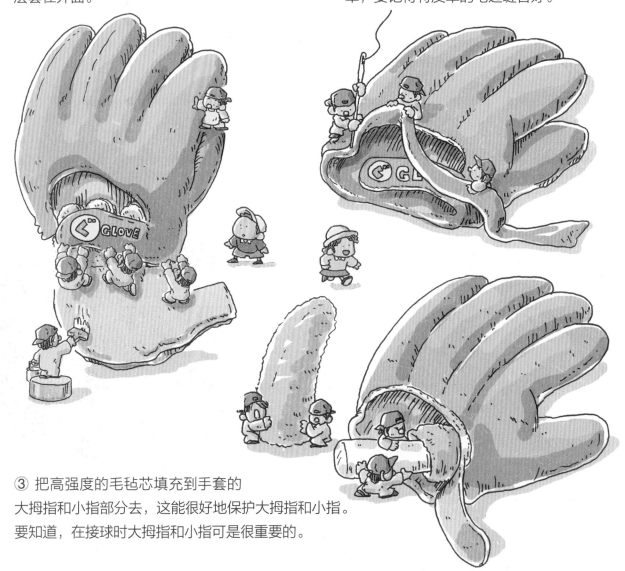

③ 把高强度的毛毡芯填充到手套的大拇指和小指部分去，这能很好地保护大拇指和小指。要知道，在接球时大拇指和小指可是很重要的。

7 精加工

① 在手套外层和手套内层之间涂上润滑油，这可以减轻两层手套之间的摩擦，让手套更耐用。

② 用皮绳把手套固定起来。

③ 一边用小锤子敲打手套手掌部分，一边调整它的形状，让它接起球来更容易。

一定要用皮绳穿过手套的各个部分将它们固定起来，这样手套才能更好用，这很重要哦！

④ 用小锤子反复敲打手套的掌心部分，这可以让它接起球来更顺手。

⑤ 就这样，酷酷的棒球手套就做好啦！走，一起打棒球去！

塑胶橡皮的诞生

啊！字写错了，怎么办？不要着急，我们有塑胶橡皮！
擦一擦，纸面又变得干干净净的了，神奇吧？

在塑胶橡皮发明之前，橡皮是用橡胶树上产生的天然橡胶做成的，但它擦得不是很干净，所以后来人们发明了塑胶橡皮。塑胶橡皮的优点是擦得更干净，而且它有不同的颜色，更重要的是，它是香香的哦！

1 制作胶基

① 把原料（聚氯乙烯[1]、可塑剂[2]、碳酸钙[3]）混合起来用力搅拌。

② 继续搅拌并加热，让它变成粘乎乎的液体。注意，不同的温度和加热时间下，橡皮的硬度会不一样。

[1] 和聚乙烯、聚丙烯一样属于塑料家族，是从石油中提炼出来的。　　　[2] 用来调整橡皮硬度的药剂。　　[3] 可使橡皮擦除时从表面剥落碎屑的药

2 塑形

主要用下面3种方法来决定橡皮的形状。

● 把胶基放到压制机里挤出来，让它形成长条状，然后再切成小块小块的。

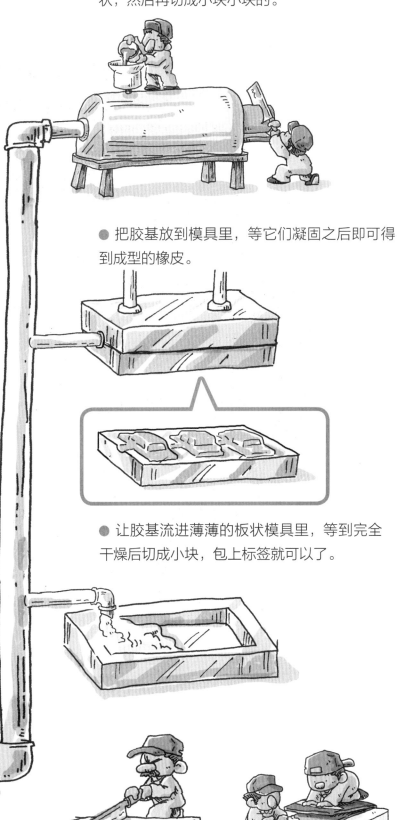

● 把胶基放到模具里，等它们凝固之后即可得到成型的橡皮。

● 让胶基流进薄薄的板状模具里，等到完全干燥后切成小块，包上标签就可以了。

塑胶橡皮

为什么橡皮能擦除铅笔字迹?

铅笔字迹消失并不是因为橡皮把纸的表面给擦掉了。还记得吗? 铅笔笔芯是用石墨做成的，在用橡皮擦除纸上的字迹时，纸面上附着的铅笔石墨粉末被吸附到了橡皮的表面，同时橡皮的表面又剥落下来。也就是说，橡皮一边吸附纸上的石墨，一边剥落碎屑，形成新的表面来吸附石墨，很神奇吧? 擦完之后我们只要把脱落下来的橡皮渣清理掉就可以了。对了，脱落下来的橡皮渣也是香香的哦!

不生锈的勺子和叉子

用不锈钢做的亮闪闪的勺子和叉子很不容易折断，也不容易生锈，这是为什么呢？

勺子我们天天都用，可是你用过叉子吗？叉子是吃西餐时的一种餐具。叉子和很多勺子都是用不锈钢做成的，像它的名字一样，不锈钢是一种有抗锈功能的金属。这就是勺子和叉子不容易生锈的秘密！

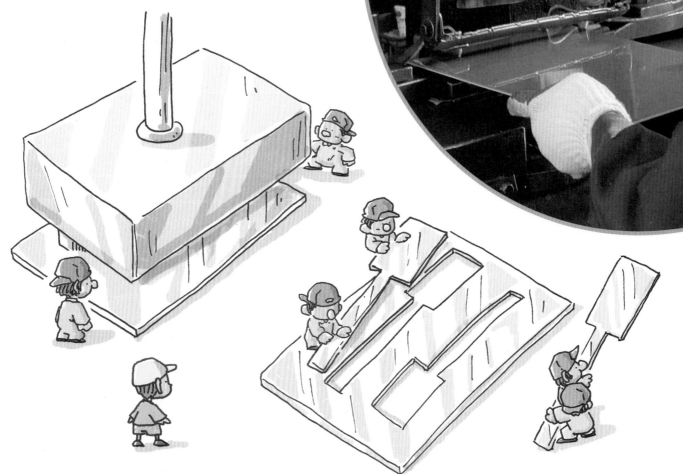

1 制作原型

用模具在不锈钢板上切割出勺子和叉子的原型。

2 造型

① 用滚筒辗压原型，直到压得厚度合适。

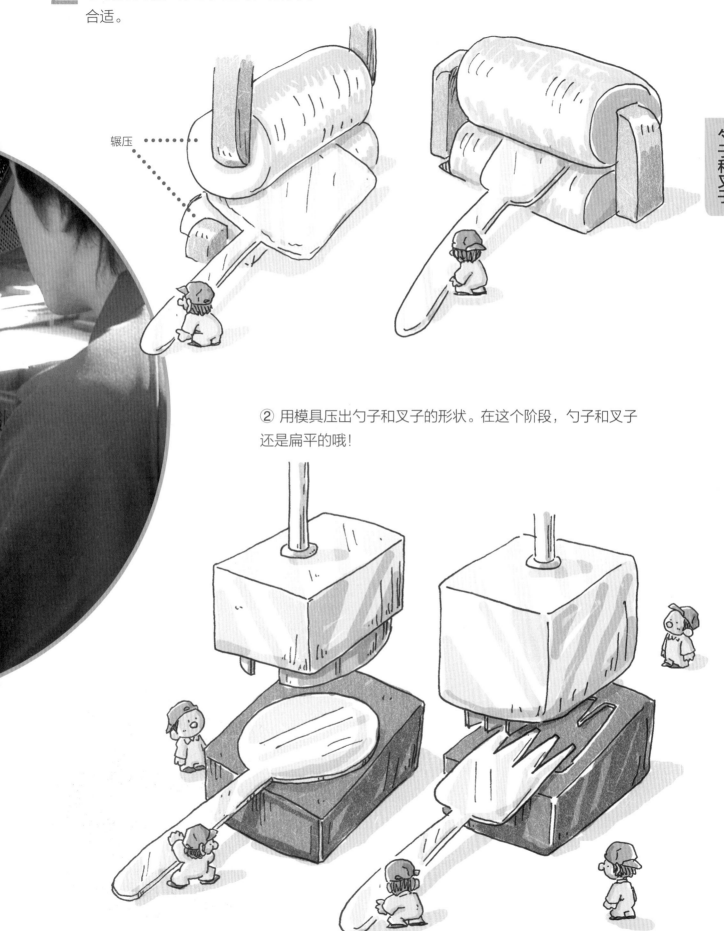

辗压

② 用模具压出勺子和叉子的形状。在这个阶段，勺子和叉子还是扁平的哦！

3 打磨
用柔软的布粘上研磨粉，打磨勺子和叉子，让它变得亮闪闪的。

4 使头部弯曲
用两个模具同时挤压勺子和叉子的头部，压出弯曲的形状。

5 雕饰
在勺子和叉子的手柄刻上花纹或字样，让它们漂漂亮亮的。

■ 叉子为什么有四个齿？

告诉你一个小秘密，最早的叉子只有一个齿，用的时候只能像吃烧烤一样穿插进食物里，太费劲了，后来人们就增加了齿的数量，2个、3个，也有5个、6个齿的，但人们发现4个齿的用起来最顺手，于是4齿叉子就变得比较普遍了。

最后，在19世纪，英国贵族的餐桌礼仪中规定了叉子的规格，从而固定下了使用4齿叉子的传统。

不过，现在用来吃水果的小叉子也常有2齿或3齿的。

在手柄上刻出漂亮的花纹和字样。

6 加工打磨

再进一步打磨勺子和叉子，使它们变得更光滑，亮闪闪的勺子和叉子就做好了。

简单而设计感十足的诺贝尔奖晚餐会专用刀叉。

■ 光荣的诺贝尔奖专
用餐具制造商

你知道诺贝尔奖吗？在这个从1991年以后，每年12月举办的颁奖典礼的晚餐会上，使用的餐具刀叉不是由欧洲人制造的，而是出自日本的新泻县燕市，这可自古就是一个以金属加工业知名的地方呢。

勺子和叉子

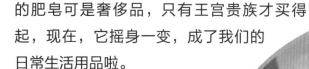

肥皂竟然是用油做的

望着自己满手的油腻，你是不是很发愁？不用发愁，用肥皂就可以轻轻松松地洗干净。不过，你知道肥皂是用油做的吗？

肥皂是用油脂和碱相互作用做成的，很奇怪吧？作为原料的油脂可以是椰子、橄榄果榨出的油，也可以是牛等动物的脂肪。不过，早期的肥皂可是奢侈品，只有王宫贵族才买得起，现在，它摇身一变，成了我们的日常生活用品啦。

1 制作肥皂皂基 *

① 在油脂里加入碱性药剂（烧碱），一边加热一边慢慢地搅拌，得到粘乎乎的皂基（这个过程叫做皂化）。

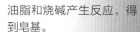

油脂和烧碱产生反应，得到皂基。

椰子树。主要生长在东南亚各国。

---

* 制作肥皂主要有两种方法，一种是将油脂用碱性药剂加水分解（皂化），一种是从油脂中提取脂肪酸，和碱性物质直接发生中和反应。这里介绍的是传统的皂化盐析法（熬制法）。

② 在皂基里加入盐水用力搅拌，把肥皂成分分离出来（盐析）。

··肥皂

···盐

·甘油

肥皂和其他成分被分离开来。

③ 把肥皂成分提取出来，摊成薄薄的一层，让它慢慢干燥。

④ 把干燥后的皂基揉碎，弄成一粒粒的小颗粒。

2 研磨

把碎皂基放到搅拌机里，然后加入色素和香料，用力研磨它。

研磨小颗粒状的皂基。

3 造型

① 把混合好的皂基放到压制机里，把它挤压成条状。

■ 肥皂的起源

据说在 5000 年前，人们在烧烤羊肉时，羊肉中渗出的油脂滴在火里的柴灰上，用这种柴灰来刷锅会产生很多泡沫，可以把油污洗得干干净净的。就这样，人们发明了肥皂。

从压制机里挤压出来的圆棒形的肥皂。

肥皂能去污的秘密

为什么水洗不掉的油污肥皂可以洗掉呢？这是因为肥皂中既有亲水成分，也有亲油成分。在用肥皂清洗油污时，亲油成分会把油吸附住（图①），然后像图②里显示的那样，越来越多的亲油分子密密地包围在油污周围。到了一定程度，油污就会被包围着离开原来吸附着的表面，分散到水里（图③）。这时用水冲洗，油污就被冲走了。

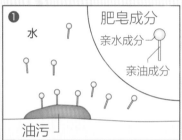

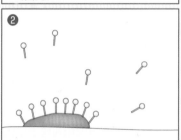

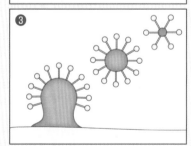

② 切成大小正好的小块。

③ 用模具刻印出肥皂的外形，包装好后肥皂就做好了。

胶带的制作秘密

你用过胶带吗？是不是很容易就能把它从卷轴上剥离出来，但一旦贴在纸上却又粘得紧紧的？秘密是什么呢？

胶带为什么可以粘东西？当然是因为它表面上涂有一层粘合剂的关系！但是，从卷轴上拉下来的胶带只有一面有粘性，这是为什么？原来在胶带两面都涂有药剂，一面涂的是让胶带能轻易脱离的剥离剂，一面是涂在粘合剂与胶纸之间、将它们紧紧结合在一起的打底胶浆。这就是胶带很容易就能从卷轴上剥离出来，但一旦贴在纸上却又粘得紧紧的秘密！

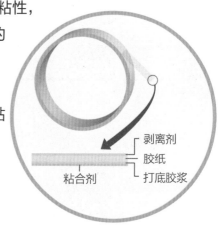

剥离剂
胶纸
打底胶浆
粘合剂

1 制作胶纸原浆

① 制作纸浆*，然后加入药剂充分混合。

② 将纸浆搅拌得像粥一样，然后放置一小会儿。

③ 加入二氧化碳或烧碱，把纸浆再次溶解。

④ 过滤后就得到了制作胶纸的原浆。

2 制作胶纸

① 将原浆压成薄薄的长条状。

*用木材等植物纤维经加工得到的产物。（→第150页）

■制成胶带的天然材料

胶纸看起来很像透明塑料，但其实它是用木屑做成的，你想不到吧？

另外，有些天然胶带涂在胶纸上的粘合剂是用天然橡胶或天然树脂做成的，卷轴则是用再生纸制造的。

用来在透明的胶纸上下两面涂上剥离剂和打底胶浆的机器。

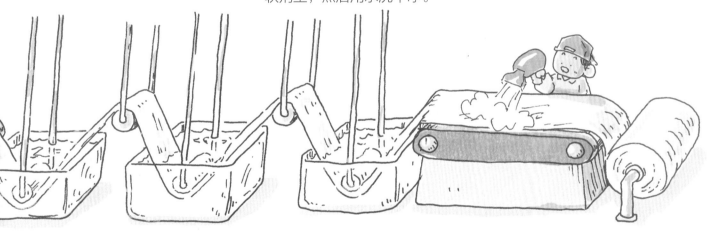

② 用凝固剂把原浆凝固住。

③ 把原浆放到漂白剂和柔软剂里，然后用水洗干净。

④ 干燥后把胶纸卷起来。

 涂上剥离剂和打底胶浆
在胶纸上面涂上剥离剂，在下面涂上打底胶浆，再重新卷起来。

147

制作粘合剂

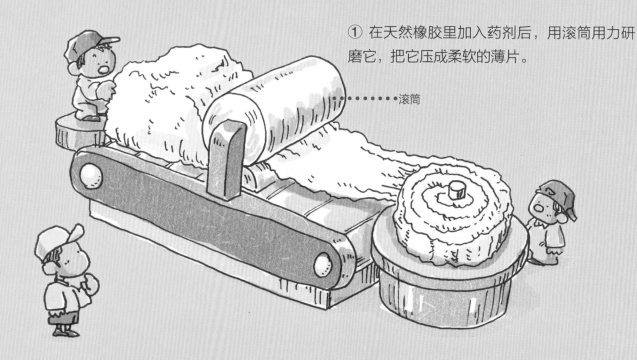

① 在天然橡胶里加入药剂后，用滚筒用力研磨它，把它压成柔软的薄片。

········滚筒

② 把它和天然树脂、溶剂等一起放进大锅里。

③ 用力搅拌，就做成了粘合剂。

■胶带是由美国人发明的

胶带是在 1930 年由美国人发明的，它起源于涂装汽车时使用的防护胶带（喷漆时用来盖住不需要颜色或油漆部分的纸质胶带）。

最初，胶带主要用于包装物品，后来人们为了节约开支，透明又结实的胶带就被广泛地用来修补书籍或破碎的玻璃等等，被开发出很多意料之外的用途。就这样，慢慢地胶带成了我们家庭和工作场所中不可缺少的日常用品，它有了几百种用途，从补衣服到保护碰破的鸡蛋，都能看到胶带的身影。

4 涂上粘合剂

① 在胶纸涂过打底胶浆的一面再涂上粘合剂，然后卷起来。

② 把胶带晾干。

涂上粘合剂并卷起来的胶带。

5 切割

把晾干后的胶带卷成一个大卷，再切成需要的宽度。

6 装箱

把切割好的胶带装进盒子里，透明的胶带就完成了。

可以把胶带切成需要的宽度的切断机。

能够连续拉出的抽纸

抽纸又叫面巾纸，每次从它的小口中抽出一张纸时就会带出另一张，是不是很神奇啊？你知道是为什么吗？

因为是要用在脸上的东西，所以抽纸一般用100%纯木浆做成，不能添加任何化学成分，而且必须非常柔软。因此抽纸需要做得非常薄。但是太薄的纸又很容易破，因此抽纸一般都是把两张柔软的薄纸巾重叠在一起来增加强度。在工厂里制作时，200张两两重叠的纸巾被机器折成"〈"形，左右交互地叠压在一起，这样就可以源源不断地一张一张从盒子里抽出来了。

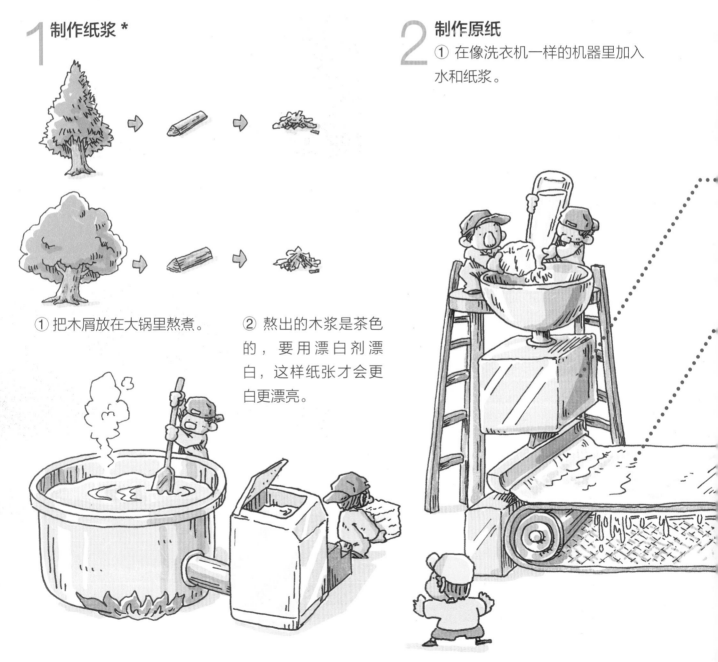

1 制作纸浆 *

① 把木屑放在大锅里熬煮。

② 熬出的木浆是茶色的，要用漂白剂漂白，这样纸张才会更白更漂亮。

2 制作原纸

① 在像洗衣机一样的机器里加入水和纸浆。

* 从木材或其他植物里提取的纤维，是造纸的主要原料。

抽
纸

抽纸和手纸的区别

　　抽纸比较结实，不容易撕破。因为它是用纤维更长更强韧的针叶树木制造的，并且在它的纸浆里还加入了药剂，使抽纸更不容易溶解在水里。

　　手纸虽然也很轻薄柔软，但它需要易溶于水并被水冲走，所以不会使用辅助纤维的药剂，而且纸浆的原料也较多采用短纤维的阔叶树木。

快速旋转的纸筒。

•••••••••② 在机器里用力搅拌水和纸浆。

•••••••••③ 把纸浆倒在滤网上摊平，晾去水分。

④ 把成片的纸放在滚筒里用力挤压，进一步去除其中的水分。

⑤ 把湿纸放在圆筒上用蒸气烘干。

⑥ 把纸从圆筒上拿下来，这时纸上会产生细小的皱褶。

⑦ 把做好的纸卷成一大卷儿。

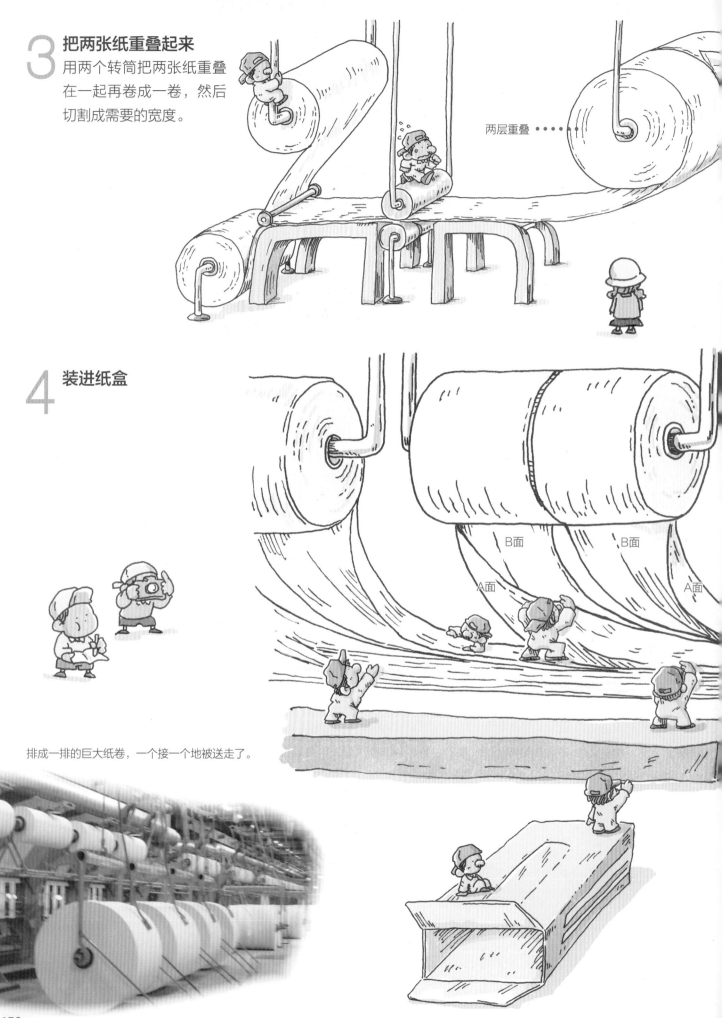

3 把两张纸重叠起来

用两个转筒把两张纸重叠在一起再卷成一卷，然后切割成需要的宽度。

两层重叠······

4 装进纸盒

B面 B面

A面 A面

排成一排的巨大纸卷，一个接一个地被送走了。

圆形的切割刀不停旋转，把折好的纸切成
需要的大小。

叠成两层的奇妙之处

你知道为什么要把两张抽纸重叠在一起吗？把这两张抽纸分开，摸一摸纸表面和里面有什么不同？是不是表面比较光滑，而里面比较粗糙，像是有小小的毛刺？这就对了！把两层纸光滑的一面都向外，粗糙的一面相对重叠，这样空气就会很容易被包在里面，整张纸碰到我们的皮肤时就会有柔软丰满的感觉了。知道抽纸叠成两层的好处了吧？

① 用自动折叠机把纸卷折成"〈"
形，像右图那样叠在一起。

② 切成需要的大小，装进
纸盒，设计精巧的抽纸就做
好了。

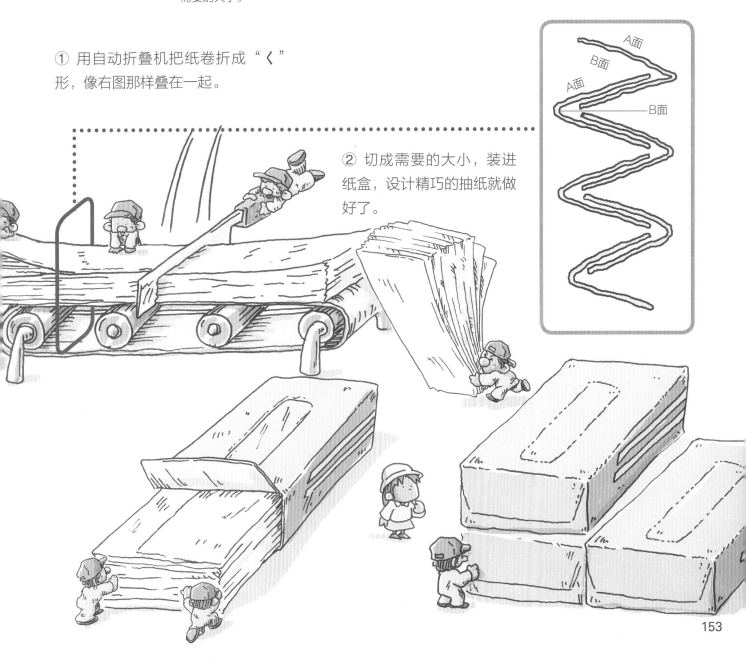

胶水的做法

你用过浆糊和固体胶棒吗？粘乎乎的！它们都属于胶水的一种，但它们的原料和做法却完全不同。让我们来看一下它们的区别吧。

你知道吗？在家里我们就可以简单地用大米做出浆糊，而在工厂里制作浆糊用的原料大多是玉米。固体胶棒是在1970年发明的，和浆糊相比，固体胶棒不容易沾手，比较干净，也不容易让纸起皱，干起来也很快，优点很多。

浆糊

1 制作胶体

① 玉米淀粉和热水混在一起，用力搅拌。

② 转移到另外的容器里，加入碱水，进一步搅拌，直到混合物变得粘乎乎的。

2 熟化
放进大缸里，在40℃的温度下进行熟化。

3 装进容器
装进容器里，封好盖子，粘乎乎的浆糊就做好了。

胶水

1 制作胶体

① 在80℃的热水里加入碱水、脂肪酸*、安定剂，然后用力搅拌。

② 把碱水和脂肪酸混合在一起，得到像肥皂一样的东西，然后加入粘合成分，做成胶体。

胶水

2 凝固

① 把胶体放进容器里。

② 让它冷却凝固。

3 收尾

盖上盖子，完成喽！

向容器里注入胶体的机器。

■ 为什么浆糊粘粘的？

大米、玉米等都含有淀粉，加入水并加热后淀粉会吸收水，然后膨胀，变成透明的、粘粘的物质。浆糊就是用这种物质做成的，所以它也是粘乎乎的。

*记得要用从植物油提取的脂肪酸。

白炽灯泡的制造方法

白炽灯泡里面有金属丝，电流通过金属线时，金属线竟然会发出光来，这是为什么？你想不想知道呢？

现在我们慢慢不使用白炽灯泡了，但全世界使用最广泛的还是白炽灯泡，你想不到吧？白炽灯泡是在玻璃球中放入用钨金属制造的灯丝做成的，电流通过金属灯丝时，由于电阻[*1]的存在，金属灯丝就会发出明亮而温暖的光来。为什么现在我们不再使用白炽灯泡呢？这是因为灯丝在发光的同时会发出热量，时间长了以后灯泡也会变热，非常烫手，而且这种灯泡比较费电。

玻璃球

房间照明用的白炽灯泡。

1 制作灯丝座

① 用高温加热玻璃管的一头。

② 然后把加热的这一头拉伸扩展。

③ 切下需要的长度。

*1 一种影响电流通过的物理性质。电阻越大，电流通过的就小，灯就越不亮；电阻越小，电流通过的就大，灯就越亮。

灯丝

导线

气体

口座

④ 在玻璃管中穿过两根给灯丝送电的导线，以及一根细玻璃管（用来抽出玻璃球里的空气）。

⑤ 给玻璃管加热使它融化，固定住导线和细玻璃管，做成灯丝的底座。

2 制作灯丝

① 将两根钨丝并在一起，扭成像弹簧一样的形状，做成灯丝。

② 把导线的顶端弄弯，把灯丝固定在上面。

用竹子做灯丝！

你知道吗？一开始白炽灯泡的灯丝可不是用钨金属做的，而是竹子，很意外吧？发明白炽灯泡的是美国的发明大王托马斯·爱迪生，但灯丝要用什么材料做却让他大伤脑筋。

他曾经用纸和布等材料做成灯丝，但你可以想象得到，它们着火了。无意中爱迪生发现了竹子，将竹子烧成竹炭后作为灯丝，竟然能保持较长时间发光而不会被烧掉。

于是，这种竹丝灯泡被大量生产，并扩散到世界各地，直到钨丝灯泡被发明出来。

用竹子做成灯丝的白炽灯泡。

3 制作玻璃球

① 把融化的玻璃放在铁管的一头。

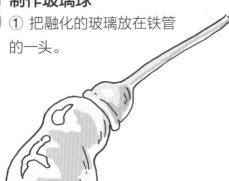

② 一边转动一边向玻璃中用力吹入空气，看，一个玻璃球就做好了，很神奇吧？

③ 在玻璃球里放入前面做好的带着灯丝的底座。

④ 给玻璃球加热，把底座固定在里面。

⑤ 通过前面放入的细玻璃管把玻璃球中的空气抽出来。为什么要这样做，你知道吗？

⑥ 100瓦的灯泡灯丝通电后温度会高达3300℃，因此要向玻璃球中注入特殊的气体来防止灯丝燃烧。

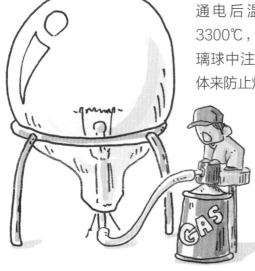

⑦ 切断用来排出空气的细玻璃管，加热把口封死。

4 组装

把口座粘在玻璃球上，能发出明亮温暖的光的灯泡就做好了！

把装有灯丝的底座放进玻璃球的机器。

把口座粘在玻璃球上的机器。

■ 今后的灯泡

由于白炽灯泡实在太费电了，人们迫切需要更省电、更明亮的灯泡来代替它。

荧光灯泡是其中一种，比起白炽灯泡来荧光灯泡更省电，更耐用，而且为了转换方便，还有专门适应以前使用白炽灯泡的照明工具的球形荧光灯泡，所以，荧光灯泡现在使用得很多。

另外，LED灯泡出现了，它可是现在最新型的灯泡哦。LED灯泡在灯光告示板、霓虹灯、电器指示灯上都使用着，它耗电少，寿命长，不会发热，受到越来越多人的喜爱。

球形荧光灯灯泡（上）和家庭用LED灯灯泡（下）。

159

棒球棒你见过吗？它可是棒球运动员的必备武器哦！它的制作是有严格规定的，下面我们一起来看一看吧！

专业的棒球棒一定是用木头做的，一般是白杨木，而且是工匠一根一根认真细致地手工制成的。棒球运动员们对球棒的长度、粗细、重量都会有特别的要求，为什么呢？因为他们认为就算是球棒重量上一点小小的区别都会影响自己的发挥，因此工匠们只好手工地制作棒球棒，从而满足运动员们的偏好。

原料

木制球棒的材质很重要。以前毛叶白蜡木很受欢迎，现在枫木和美国白蜡木也经常使用。

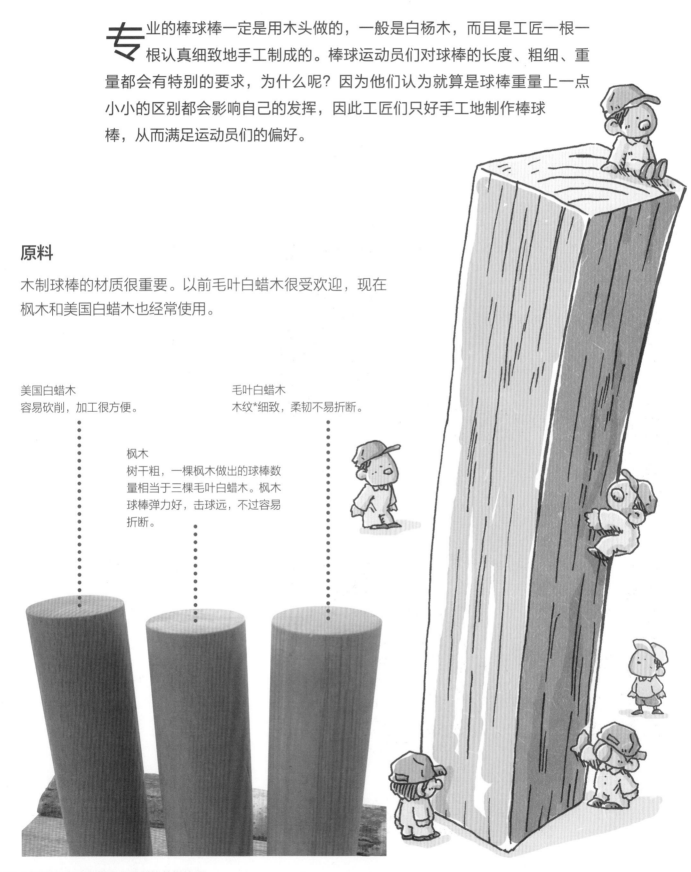

美国白蜡木
容易砍削，加工很方便。

毛叶白蜡木
木纹*细致，柔韧不易折断。

枫木
树干粗，一棵枫木做出的球棒数量相当于三棵毛叶白蜡木。枫木球棒弹力好，击球远，不过容易折断。

* 切开木头后在截面上看到的花样纹理。

1 粗削

①顺着木纹或伤痕的纹理，切割出球棒的大致尺寸。

②把木棒削成球棒的大致形状。

粗削之前的棒状木头（左）和粗削之后的球棒（右）。

2 干燥

放置一段时间，一般都要几天，让球棒充分干燥。

* 也有步骤1和2相反的情况。

161

3 中期切削

把干燥后的木棒削成比需要的大小稍微大一些的形状，然后按照重量分类。

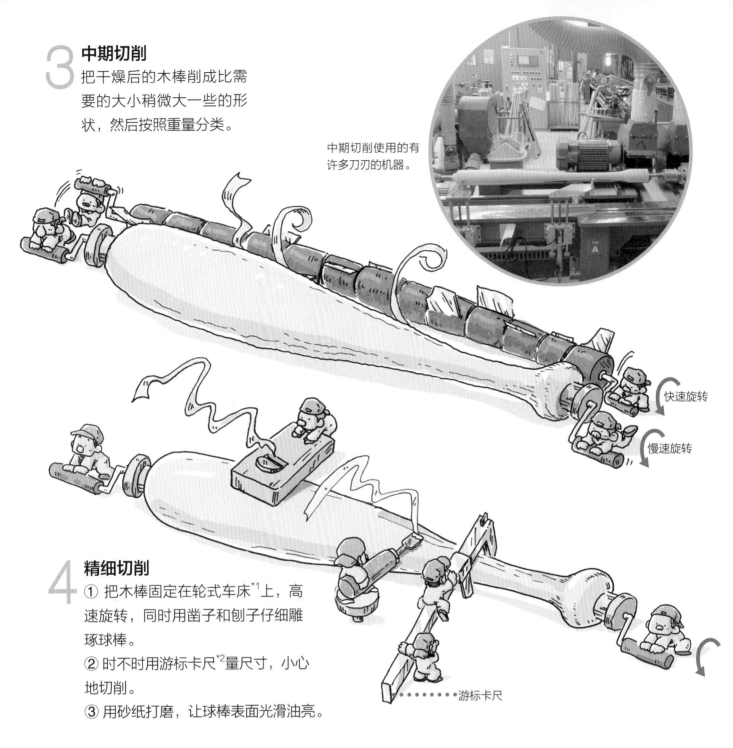

中期切削使用的有许多刀刃的机器。

快速旋转

慢速旋转

4 精细切削

① 把木棒固定在轮式车床*1上，高速旋转，同时用凿子和刨子仔细雕琢球棒。

② 时不时用游标卡尺*2量尺寸，小心地切削。

③ 用砂纸打磨，让球棒表面光滑油亮。

········游标卡尺

棒球运动员每个人的球棒都不一样，要非常小心球棒的长度和重心位置。

用左手握着木棒，右手拿着工具切削。长度、粗细、重量等等的微妙调整都由工匠们的左手掌握，要小心哦！

*1 做木工活时用来旋转材料的机器。　　*2 用来量物体厚度、孔洞直径等的金属尺子。

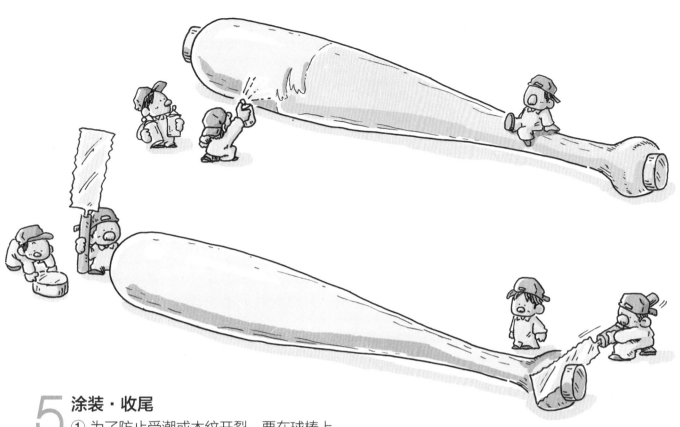

5 涂装·收尾

① 为了防止受潮或木纹开裂，要在球棒上再涂上一层涂料。

② 把球棒两端的多余凸起切掉。

③ 给球棒打上品牌标记，光滑的棒球棒就做好了。

记住，棒球棒的重量包括收尾时涂上的涂料重量。另外，球棒除了自然色之外，还有焦茶色、红褐色、黑色三种。

* 步骤5里①和②的顺序也可以反过来。

牙刷是怎么生产出来的

你知道牙刷发明之前人们是怎么刷牙的吗？是用树枝或小木片！很意外吧？哈哈！一直到牙刷出现人们都是用这种简陋的工具甚至手指来清洁牙齿。

据说世界上第一把牙刷是由中国明朝的一位皇帝——明孝宗在1498年发明的，方法是把短硬的猪鬃毛插到一支骨制手把上。现在的牙刷手柄是用塑料做的，而刷毛主要是用尼龙材料制造的。牙刷上的毛真不少，它们是怎么插上去的呢？想一想都觉得麻烦！

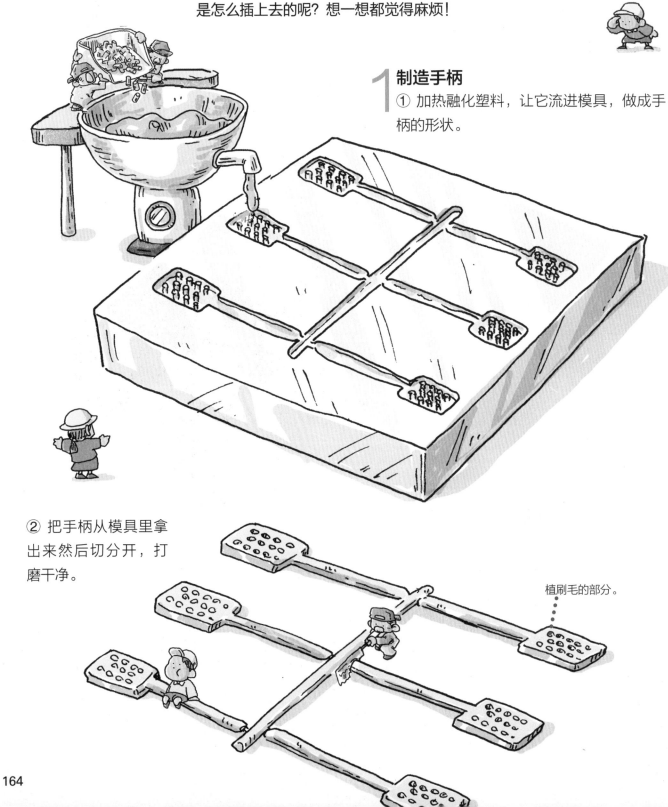

1 制造手柄

① 加热融化塑料，让它流进模具，做成手柄的形状。

② 把手柄从模具里拿出来然后切分开，打磨干净。

植刷毛的部分。

2 制造刷毛

① 让加热融化后的尼龙材料从金属套盖的小孔里挤出来。

牙刷

■ 牙刷和牙签

牙刷和牙签都是从很久以前人们用来刷牙的小木签发展出来的。当时人们把树枝切成细条，用来剔牙缝和刮牙面，以清洁口腔，这种刷牙的方法据说是从僧侣们开始的，后来慢慢地流传开来。

你知道吗？现在仍然使用小木签来清洁牙齿的国家还真不少。这张照片就是一位正在用小木签清洁牙齿的埃塞俄比亚人。

② 将细毛收集起来，切成需要的长度。

没有切短的尼龙毛。有不同的颜色哦！

165

3 切割刷毛钉

把黄铜片切成比刷毛孔直径短
一点的细片，用来当作钉子
把刷毛固定在手柄上。

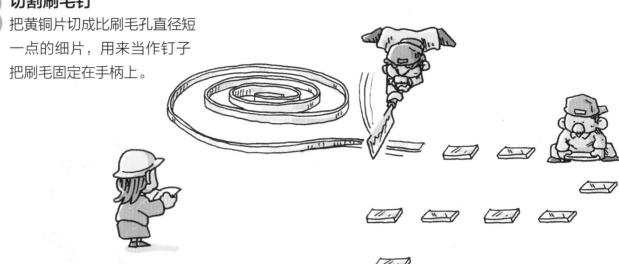

4 把刷毛插进手柄小孔上

把步骤2做好的15根左右的细毛捆成一束，从正中间
折起来，用刷毛钉钉住，插进手柄的小孔里。一般每
个小孔里能插入15根（折起来就成了30根）细毛。

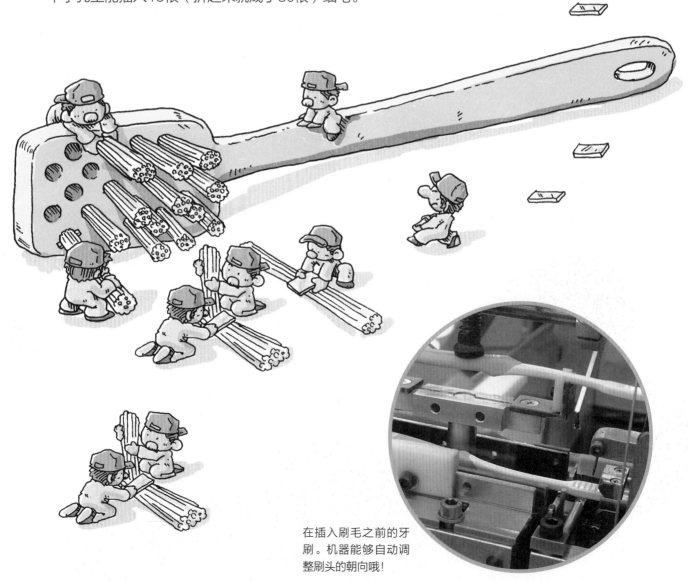

在插入刷毛之前的牙
刷。机器能够自动调
整刷头的朝向哦！

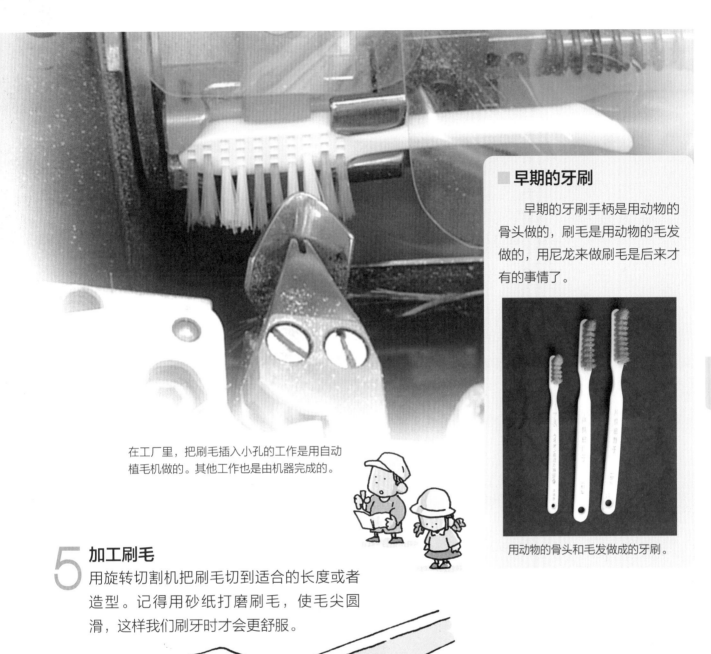

在工厂里，把刷毛插入小孔的工作是用自动植毛机做的。其他工作也是由机器完成的。

■ 早期的牙刷

早期的牙刷手柄是用动物的骨头做的，刷毛是用动物的毛发做的，用尼龙来做刷毛是后来才有的事情了。

用动物的骨头和毛发做成的牙刷。

5 加工刷毛

用旋转切割机把刷毛切到适合的长度或者造型。记得用砂纸打磨刷毛，使毛尖圆滑，这样我们刷牙时才会更舒服。

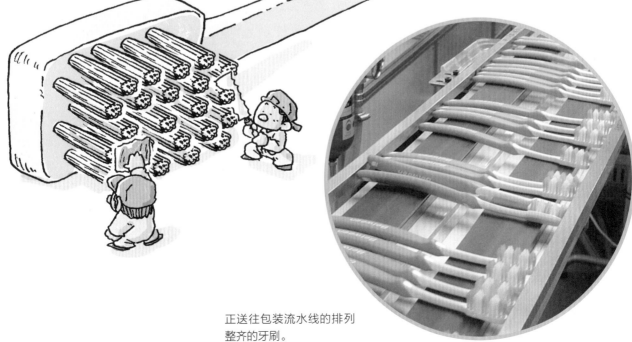

正送往包装流水线的排列整齐的牙刷。

菜刀的
制造过程

你见过妈妈切菜时用的菜刀吗？它很锋利，闪闪发亮。它的刀刃薄薄的，却很坚硬，砍骨头都没有问题，这是怎么造出来的呢？

不管切什么东西，切多少次，刀刃仍然能保持锋利的菜刀才是好菜刀。那么如何选一把好菜刀呢？这里面可是有学问的，选刀时，要看刀的刃口是不是平直，刃口平直的，磨刀、切菜都方便。不过要注意，千万不要将两把菜刀刃对刃碰撞来测试它的硬度。

1 制作菜刀的刀身

① 把大小合适的钢块放在涂了粘合剂的底板（柔软的铁板）上，放进火炉里烧。

② 把钢块烧红后用锤子用力敲打，让钢和铁板紧紧地粘在一起，冷却后再放进火炉，这样反复几次。

③ 等到钢板厚度差不多时，切割出菜刀的大概形状。

反复用力敲打被烧得通红的钢块，是为了把钢块里面的杂质去掉，这非常重要。

2 造型

① 把切割出来的菜刀放进火炉烧。

② 烧红后拿出来用锤子用力敲打，使它变成薄薄的一片。同时做出刀柄和刀身的形状。

③ 让菜刀慢慢地变凉（退火*）。

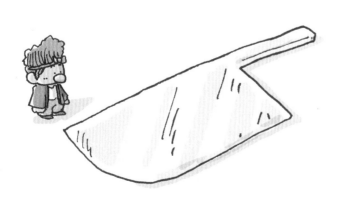

④ 在常温下仔细地捶打刀身，让它更加光滑明亮。

＊指让加热到一定程度的金属慢慢冷却的过程。

3 锻造刀刃

① 把泥水浇到刀身上，这样加热时热量才能更好地扩散到整个刀身，并且不容易冷却。

■ 欧式刀具的制作方法

欧式刀具并不是象我们前面介绍的那样通过捶打钢块做成的，而是用模具做出来的。

这种方法比我们前面介绍的方法更适合大量生产同一形状的刀具，做出来的刀具差别也比较小。

用来制造刀刃的模具。

② 把刀身放进约800℃的高温炉里烧，变得通红时快速拿出来放到水里迅速冷却。这叫淬火。通过迅速冷却，钢的强度和硬度都很好，菜刀才能更锋利。

③ 再把刀身放进约1800℃的高温炉里，然后拿出来自然冷却，这叫回火，能够进一步增强钢的强度。

④ 把刀身上凹凸不平的地方修补好。

170

4 磨刃

先在比较粗糙的磨刀石上打磨刀刃，然后在比较细腻的磨刀石上进一步打磨。

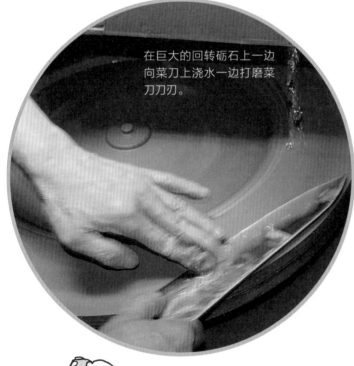

在巨大的回转砺石上一边向菜刀上浇水一边打磨菜刀刀刃。

● 中式菜刀的种类

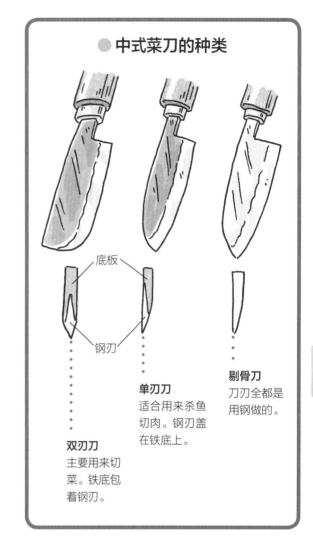

底板

钢刃

双刃刀
主要用来切菜。铁底包着钢刃。

单刃刀
适合用来杀鱼切肉。钢刃盖在铁底上。

剔骨刀
刀刃全都是用钢做的。

5 加上刀柄

给菜刀加上刀柄，锋利的菜刀就做好了。

足球和网球的制造方法

圆溜溜的足球和网球你玩过吗？不管你怎么用力踢它或抽打它，它们都不会破，这是为什么呢？

足球的表面是用皮做的，网球的表面是用羊毛毡做的，而且它们的内部都是用有孔洞的橡胶做的，球体柔韧、有弹性，这就是它们不容易破的原因。足球和网球都是非常激烈的运动，因此制作足球和网球的时候，一定要保证质量。

足球

1 制作橡胶球

① 用生橡胶、硫磺和其他药剂混合在一起做成两块橡胶板。

② 在其中一块橡胶板上打一个小坑，用来做进气口，然后把两块橡胶板都放在半圆形的金属模具上。抽出模具里的空气后（图①），橡胶板就会紧紧地贴在模具内表面上，成为两个半球（图②）。

图①

图②

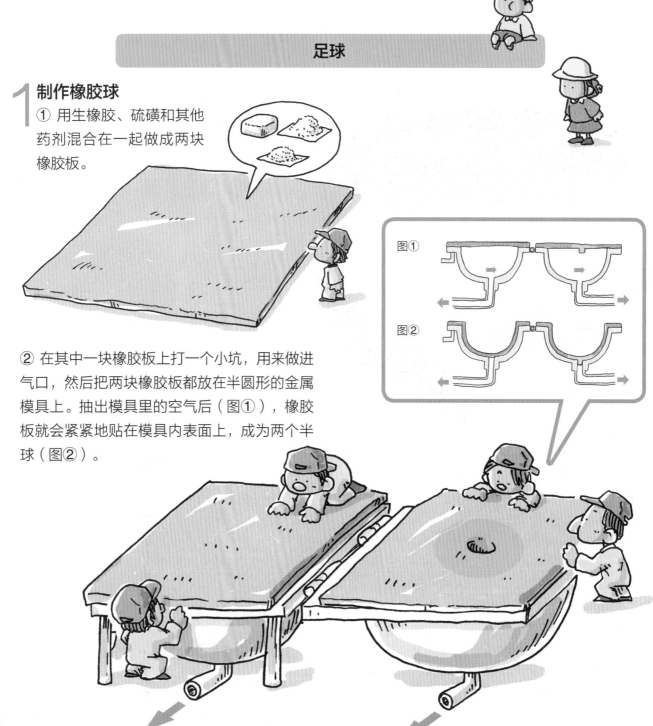

③ 把两个金属模具合在一起，从之前打的进气口向里面输入空气，同时加热。

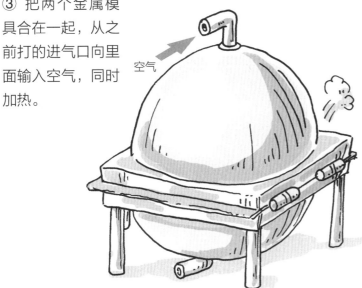

空气

④ 把两个橡胶半球粘在一起，圆乎乎的橡胶球就做好了。

2 缠上尼龙线

把步骤1里做好的橡胶球用沾满粘合剂的尼龙线缠起来。

■ 两种橡胶球

你知道吗？用来制作足球内部橡胶球的原料有两种，分别是天然橡胶和人工橡胶。天然橡胶做的球非常柔软，有弹性，但会慢慢泄漏空气；而人工橡胶不容易漏气，但从同一高度落下的话，天然橡胶球会弹得比较高。

所以比赛的时候用什么球要看看使用环境。通常人工橡胶球在土质较硬的地上弹起的高度，和天然橡胶球在柔软草地上弹起的高度相同。

天然橡胶球

人工橡胶球

* 一般来说，足球的做法有两种，一种是这里介绍的把两个橡胶半球贴在一起的"贴合法"，另一种是用缝纫机或手工缝制的"缝制法"（第175页小专栏介绍）。

3 再包上一层橡胶

① 像步骤1里的②那样，再在模具里放一层橡胶，把缠好尼龙线的橡胶球放在里面，抽出空气，让橡胶板和模具紧紧地贴在一起。

② 将两个模具合在一起，从进气口输入空气并加热，这样外层的橡胶就和里面的橡胶球紧紧地连在一起了。

4 贴上表皮

① 剪下正五边形或正六边形的薄皮小块。

■ 足球的变迁

你不知道吧？现代足球诞生之前，人们是把猪或牛的膀胱吹涨后扎好口，用动物的皮包起来当作球来踢着玩的，后来又有了把轮胎或水管的口扎起来用皮包住、再用线缝好的足球。

现代足球是在1960年才出现的，现在我们已经普遍使用人工皮革来制造足球了，而且最新款的足球已经不再需要用线缝了，而是直接用特殊的粘合剂加热后粘起来。厉害吧？

这是采用了最新技术的2010年FIFA南非世界杯官方比赛用球"JABULANI"。它的表面只有八块皮，球体更加圆滑。

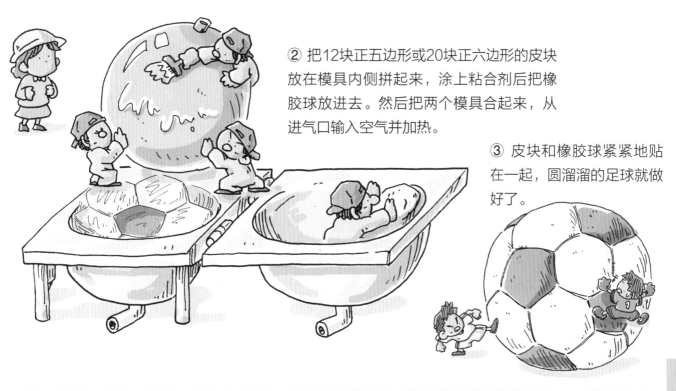

② 把12块正五边形或20块正六边形的皮块放在模具内侧拼起来，涂上粘合剂后把橡胶球放进去。然后把两个模具合起来，从进气口输入空气并加热。

③ 皮块和橡胶球紧紧地贴在一起，圆溜溜的足球就做好了。

● 手工缝制足球的步骤

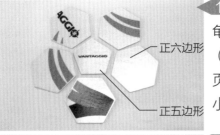

1 龟甲型足球（→第174页）表面的小皮块。

2 从里面把小皮块一块一块地缝合在一起。

3 慢慢地缝得越来越多。

4 把它们卷成球状。

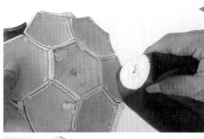

5 在橡胶球（→第173页）上涂上粘合剂。

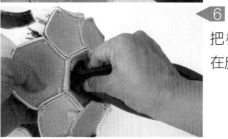

6 把橡胶球粘在皮层内。

7 把皮层翻过来，然后缝在一起。

8 手工缝制的足球完成了。

网球

1 制作半球

① 用生橡胶、硫磺和其他药剂混合在一起，得到橡胶混合物。

② 把半个网球所需要的橡胶混合物放到模具里，一边加热一边挤压。

③ 把边缘多余的部分丢掉。

2 把半球合在一起

① 打磨半球边缘，让它圆滑不粗糙，然后涂上粘合剂。

② 在半球里放入发泡剂。

③ 一边加热，一边把两个半球合在一起，发泡剂会产生氮气，把球慢慢地撑了起来。

3 包上毛毡

① 用研磨剂把球面打磨光滑，这样粘合剂比较容易粘上去。

② 在毛毡上刷上粘合剂。

③ 把毛毡剪成对称的葫芦形。

④ 在球外面包上毛毡，加热。

⑤ 用蒸汽让毛毡上的毛立起来，网球做好了！

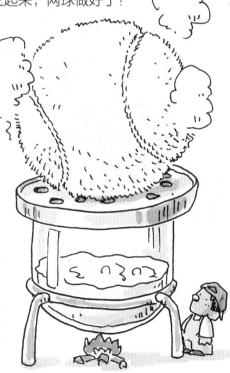

■ 网球为什么要装在罐子里卖?

这是因为网球里面有氮气，放在外面容易漏气，因此要放在罐子里卖，防止气体在网球使用之前漏光了。

圆珠笔的生产工艺

一用圆珠笔写字，墨水就会从笔端的球珠流出来，不写却又流不出来，是不是很奇妙？你知道这是为什么吗？

圆珠笔主要是利用球珠在书写时与纸面接触产生摩擦力，使球珠在球座内滚动，带出笔芯内的油墨或墨水，来达到书写目的的，这和印刷机是同一个原理。圆珠笔是美国人发明的，它在第二次世界大战之后从美国传入我国，那时，美国成功地制造了原子弹，因此人们把"原子"之名加在了这种笔上，所以它又叫"原子笔"。

1 制作笔尖球珠

① 从直径1毫米以下的金属丝上切下一小段。

② 放在模具里做成球形。

③ 把小球上多余的部分打磨掉。

④ 给滚圆的小球加热。

⑤ 把滚烫的小球放进水里冷却。这叫淬火，能让小球更坚韧。

⑥ 把小球从水里拿出来，擦干净。

2 制作笔尖

① 从直径3毫米左右的金属丝上切下需要的长度，放到模具里做成笔尖的形状。

② 用小钻头从后面穿孔，打通笔尖。

③ 在笔尖的前端挖一个放球珠的小孔。

④ 在放球珠的小孔里，刻出可以让油墨流出来的槽。

制作笔尖的机器。用这个机器完成步骤2和3，只需要大约20秒的时间，速度够快吧？

圆珠笔

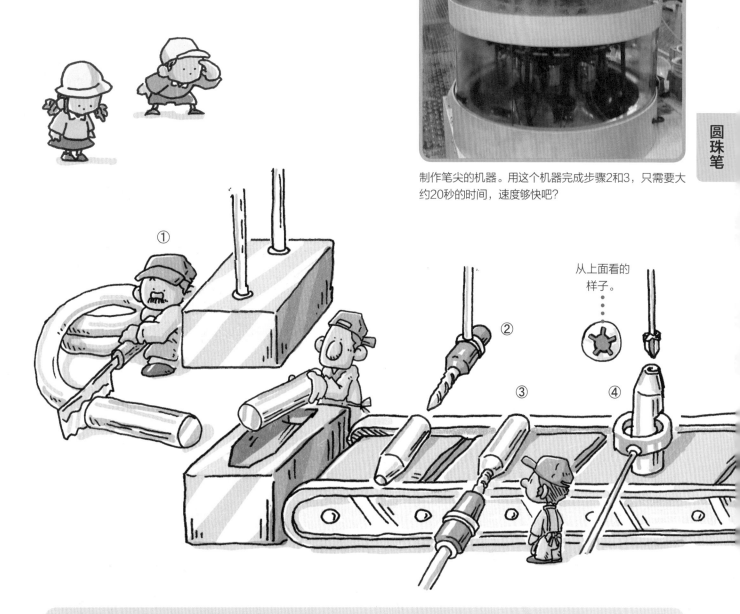

从上面看的样子。

① ② ③ ④

■ 高速旋转的圆珠笔笔尖球珠

你别看圆珠笔球珠小小的，它转动的速度很快哦！设想一下，直径 0.5 毫米的球珠转一圈可以拉出约 1.57 毫米长的线头（0.5 毫米 ×3.14），而球珠1 秒钟可以转 64 圈，就相当于 1 秒钟里拉出了长10 厘米的线，速度非常快了。

这个速度放到汽车上来说，相当于直径约 50 厘米的轮胎 1 秒钟转 14 圈，也就相当于汽车每小时可以跑 80 公里呢。

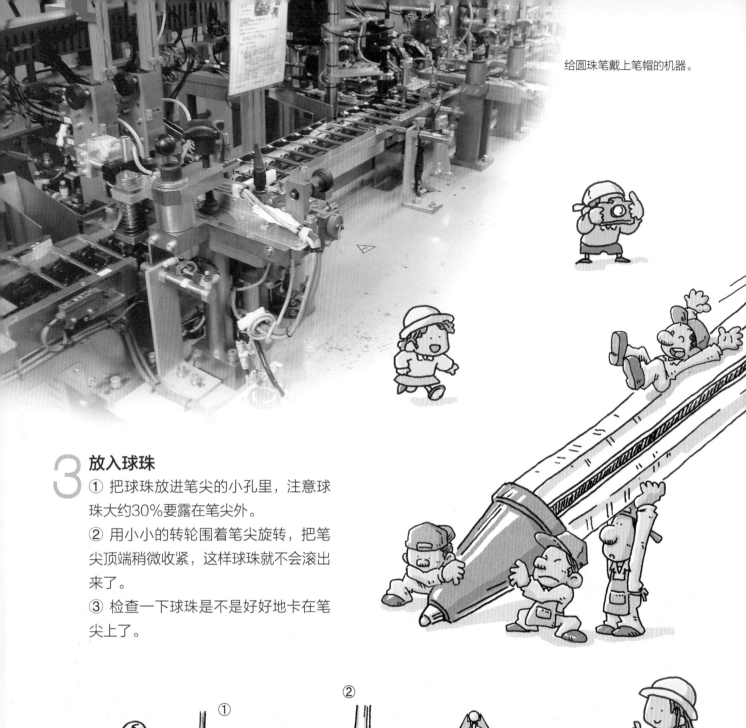

给圆珠笔戴上笔帽的机器。

3 放入球珠

① 把球珠放进笔尖的小孔里，注意球珠大约30%要露在笔尖外。

② 用小小的转轮围着笔尖旋转，把笔尖顶端稍微收紧，这样球珠就不会滚出来了。

③ 检查一下球珠是不是好好地卡在笔尖上了。

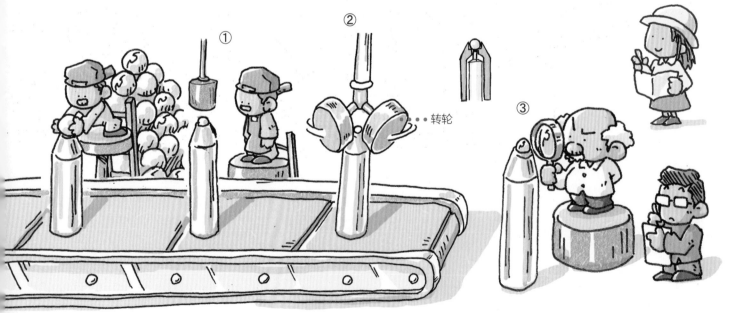

①

②

··· 转轮

③

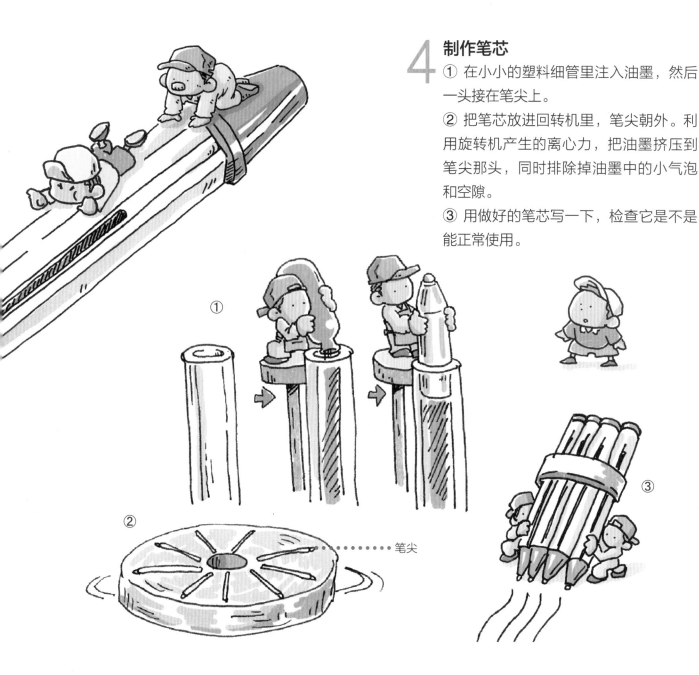

4 制作笔芯

① 在小小的塑料细管里注入油墨，然后一头接在笔尖上。

② 把笔芯放进回转机里，笔尖朝外。利用旋转机产生的离心力，把油墨挤压到笔尖那头，同时排除掉油墨中的小气泡和空隙。

③ 用做好的笔芯写一下，检查它是不是能正常使用。

① → ② →

② ·········· 笔尖

③

5 组装

① 把笔芯、笔头、笔杆、笔帽等组装起来。

② 一支一支地检查做好的圆珠笔。吔！大功告成了！

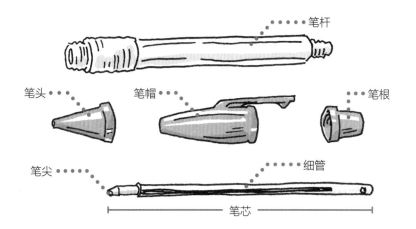

·········· 笔杆

笔头 ·····   笔帽 ·····   ····· 笔根

笔尖 ·····   ····· 细管

├———————— 笔芯 ————————┤

■ 笔尖朝上也能写字的圆珠笔

　　以前圆珠笔如果笔尖朝上写字，油墨就会向下流，不容易写出字来。现在却没有这个问题了，为什么？原来现在我们在密封的笔芯里加入了氮气，用氮气的压力挤压油墨，这样不仅可以笔尖朝上写字，在没有重力的太空中也可以写字了，所以，在宇宙空间站中也可以使用圆珠笔哦！

做出超薄的保鲜膜和铝箔

保鲜膜你肯定见过，铝箔你见过吗？它们都非常薄，好像一戳就破似的。那么，它们是怎么变得这么薄的呢？

保鲜膜是用塑料做的，它利用水和气体通不过塑料的特性，可以防止食物变质、水分和香味流失，从而延长食物的保鲜期。另外，你别看保鲜膜很薄，但它却很耐热，在微波炉里也可以使用。铝箔则是用铝做成的，它最大的特点就是导热性很好（是铁的3倍），而且铝箔和保鲜膜一样可以阻挡水和气体通过，也常被用来包装容易潮湿和氧化的食品。

保鲜膜

1 制作塑料膜

① 把塑料原料放在炉子里加热变成液体。

② 让液体状的塑料原料通过一个圆形金属口，同时向里面吹气，让塑料原料涨成气球一样。这是为了均匀地拉伸塑料，使塑料强度增大。

③ 把涨成气球一样的塑料原料用滚筒压成两层的薄膜，然后卷起来。

2 重新卷起

把2层的薄膜分开，两端分别卷
在两个滚筒上。

从这里切断

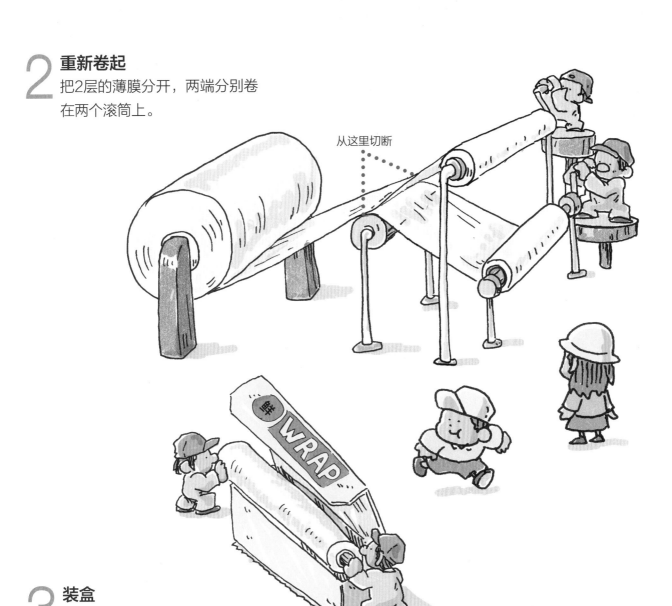

3 装盒

薄膜卷到一定长度后就切断，
放进包装盒里，薄薄的保鲜膜
就做好了。

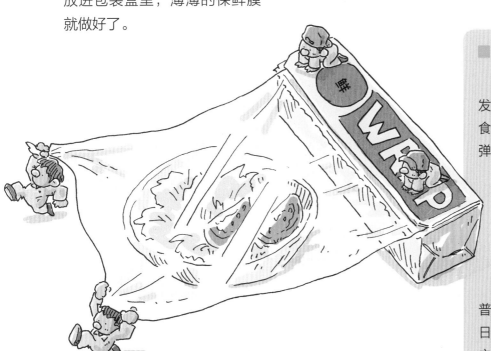

■ 保鲜膜的历史

保鲜膜是 20 世纪由美国人
发明的，最初它并不是用来保鲜
食品，而是用来保护战场上的炮
弹、火药等不被湿气侵袭。

战争结束后，人们偶然
用这种薄膜包着生菜去野餐，
发现它能保持生菜的鲜脆。
就这样，1955 年食品用保
鲜膜正式投入生产了。

现在，随着冰箱和微波炉的
普及，保鲜膜已经渐渐成为我们
日常生活中不可缺少的厨房用品
之一了。

铝箔

1 将铝板压薄

① 将薄铝板放在滚筒之间，用力压。

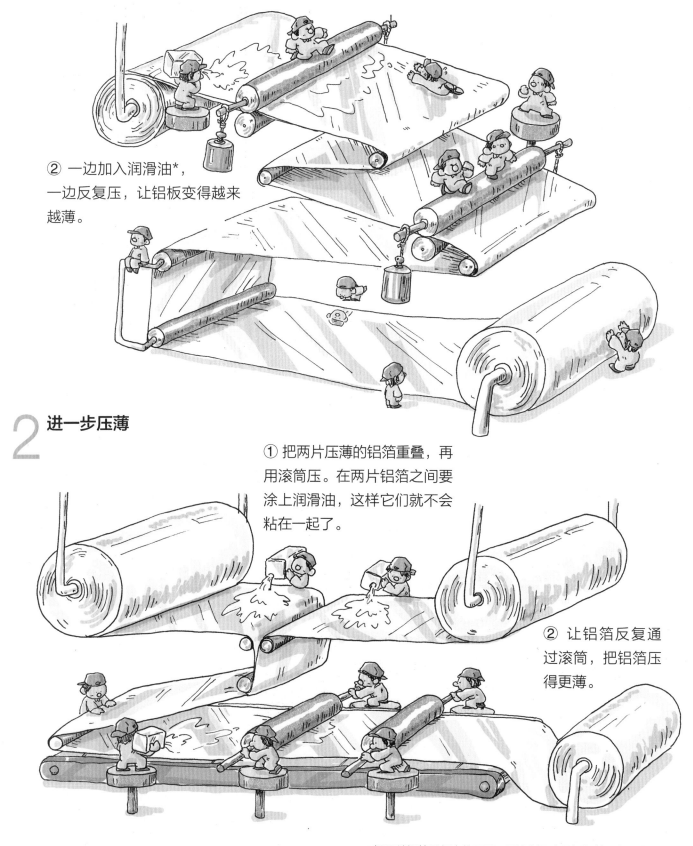

② 一边加入润滑油*，一边反复压，让铝板变得越来越薄。

2 进一步压薄

① 把两片压薄的铝箔重叠，再用滚筒压。在两片铝箔之间要涂上润滑油，这样它们就不会粘在一起了。

② 让铝箔反复通过滚筒，把铝箔压得更薄。

※把两片铝箔叠起来的原因，是这样更容易把铝箔压得更薄。

*用来减小物体之间的摩擦，使运动更顺滑的油。

3 重新卷起

把两片重叠的薄薄的铝箔重新分开，
各自卷成圆筒状。

■ 铝箔不同的两面

　　不知道你注意到了吗？铝箔
两面的光滑程度是不一样的。因
为在制造过程中把两片铝箔叠在
一起压，所以它们相接的一面就
会比较暗淡，被滚筒压过的一面
就会比较光滑。滚筒是用比铝硬
得多的金属做的，它可以把与铝
箔接触的一面压得非常光滑，而
另一面没有经过滚筒的压制，就
会有小小的凸凹不平，显得比较
暗淡。

4 加热

加热卷好的铝箔，这
样铝箔会变得更柔韧
结实，而且涂在上面
的润滑油也会因此蒸
发消失。

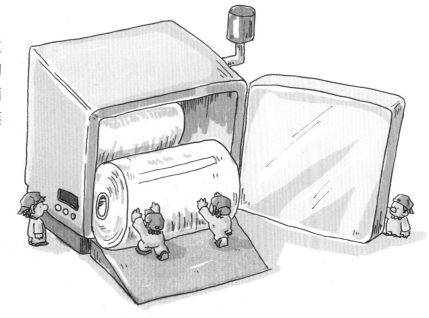

5 收尾

① 剪出需要的长度，卷成卷儿。

② 装进盒子，铝箔就做好了！

保鲜膜和铝箔

用橡胶制造出来的橡皮筋

橡皮筋一拉就会变长，放开又会恢复原来的样子，很神奇吧？你知道这是什么原因吗？

橡皮筋是一种用橡胶与乳胶做成的短圈，一般用来把东西绑在一起，它是在1845年3月17日被一个外国人发明的。但我们知道，直接拉生橡胶是很容易断的，那为什么用橡胶做的橡皮筋弹性那么好呢？原来在橡胶里加了一些可以增加弹性的药物，经过药物的化学反应之后橡皮筋就变得弹力十足了。

生橡胶

在橡胶树树干上切开一个口子，白色的树脂就会流出来。这些树脂凝固后就成了生橡胶。

像牛奶一样洁白的树脂，有清淡的气味。

1 搅拌原料

① 在生橡胶里加入各种药物，然后用力搅拌。

■ **橡皮筋和轮胎**

最初的橡皮筋是从汽车轮胎上切下来的黑色橡胶圈，只是用来绑成捆的纸币用的，后来才有了半透明的橡皮筋。

② 把搅拌好的原料压成薄片，卷起来。

③ 放进机器里，把小石块、木片等杂物去掉。

④ 把干净的原料压成四方块。

橡皮筋

2 加入颜料和硫磺后研磨

① 加入上色的颜料和用来增强弹性的硫磺，再用力研磨。

加入上色颜料，用滚筒研磨后就可以做出绿色、红色等各种颜色的漂亮的橡皮筋了。

② 把橡胶压成宽10厘米左右的长条状。

3 从橡胶管上切出橡皮筋

① 把长条状的橡胶放进压制机里，然后从压制机圆形的管口里挤出来，就得到了长长的橡胶管。

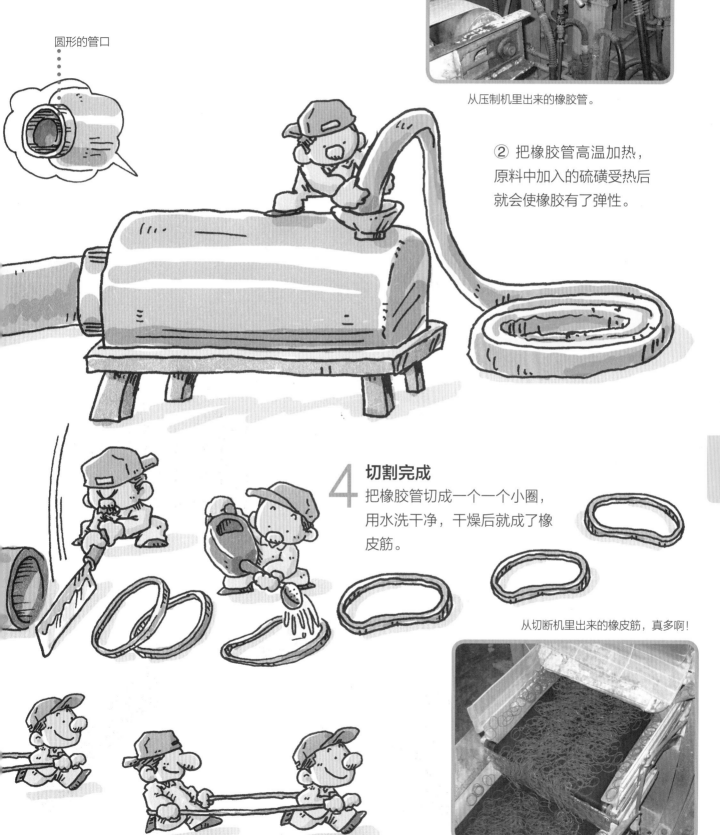

从压制机里出来的橡胶管。

圆形的管口

② 把橡胶管高温加热，原料中加入的硫磺受热后就会使橡胶有了弹性。

4 切割完成

把橡胶管切成一个一个小圈，用水洗干净，干燥后就成了橡皮筋。

从切断机里出来的橡皮筋，真多啊！

家用物品制作的补充知识

用塑料可以制造各种产品

塑料被广泛使用的原因在于，它加热融化后可以变形，可以用模具做成各种形状，而且它很轻，不怕水也不怕药剂，不会腐烂，结实耐用。另外，它还可以自由上色，色彩亮丽有透明感，优点多多。

但是，随着塑料的大量使用，也带来了很多问题。比如，废塑料引发的"白色污染"开始让人们头痛，不腐烂不分解的塑料餐盒无法有效回收，生活用塑料垃圾无法处理……

用金属可以制造各种产品

看一下家里常用的物品，除了用木材和纤维等做的东西外，是不是还有许多用铁、铜、锌、铝等金属制作的物品？用适当的加工方法，金属可以做出各种各样有用的东西。

比如，铁比较脆，不能用来做器具，但可以把它锻造成钢；或者在铁里加入其他金属，做出不同性质的钢，这就是合金。不会生锈的不锈钢，就是用铁加入铬和镍做成的合金，它在厨房里的用处可不小哦。

塑料制品的制造方法

　　使用各种不同的机器，可以做出各种形状的塑料制品。根据不同的使用目的，可以有不同的方法。

● 模具铸型

把融化后的原料倒进模具里，这是最简单的一种方法。
→牙刷的手柄（第164页）

● 挤压成型

把原料加热融化，再从机器一端的管口不断地挤压出来。改变管口的形状，就可以做出横截面形状不同的物品。
→牙刷的尼龙刷毛（第165页）

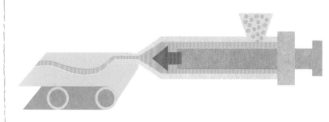

● 压缩成型

把原料放进模具，一边加热融化一边加压，压制成各种形状。在制造金属器具或杯盘等立体形状的东西时常用这个方法。

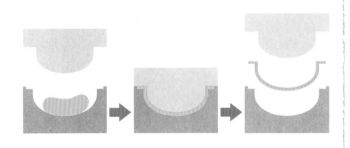

● 吹塑成型

在两个可以合在一起模具里放进管状的原料，用空气把原料吹涨，让原料紧紧贴着模具成型。
瓶子等中空的容器通常都用这种方法制造。

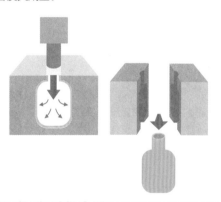

● 注射成型

把融化的原料注入模具内部。等原料凝固后，再去掉模具就可以了。

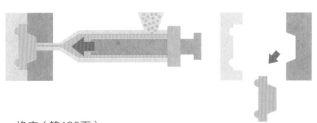

→橡皮（第136页）

● 真空成型

在模具上铺上塑料片，加热后让塑料片变软，这时抽出塑料片和模具之间的空气，塑料片就会紧紧地贴在模具表面，凝固成型。
这个方法可以用来制造鸡蛋盒等物品。

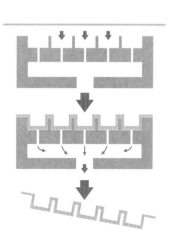

金属制品的制造方法

金属的加工要用到各种各样的机床。最近，使用电脑来操作的 NC 机床成为金属加工的主流方式。不过，精确度要求较高的操作，还是需要经过人工的处理和调整。

● 切削加工
用刀具在金属上切削或钻孔。

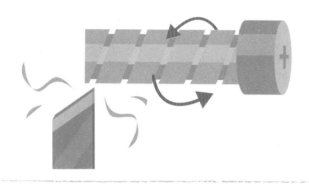

● 压制加工
使用模具压制金属，就可以制造出和模具形状相同的物品。压制加工主要有下面这几种方法。

·挤压
向板状的金属施加压力，制造器具。

·冲压
和挤压不同，用重锤等以较快的速度撞击材料，把它压制成型。

→干电池的壳（第128页）

·折弯
把金属折弯。

● 铸造
在模具里注入融化的金属，冷却后凝固成型。要制造中空的物品，就要在模具里加上被叫做中心模具的物体。过去制造佛像、大钟之类的时候，就用这种方法。

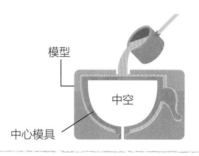

模型

中空

中心模具

● 锻造
在加热和加压作用下金属的强度会增大，利用这种性质来制造各种各样产品的方法叫做锻造。

·轧制
从板状的金属里轧制出物品的各种部件。

→勺子和叉子（第138页）
→欧式刀具（第170页）

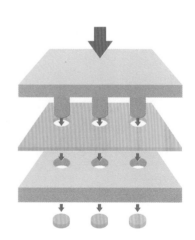

192